LA RELÈVE DU MATIN

ŒUVRES DE HENRY DE MONTHERLANT

LA JEUNESSE D'ALBAN DE BRICOULE.

LE SONGE, roman, 1922.
LES BESTIAIRES, roman, 1926.

LES VOYAGEURS TRAQUÉS.

AUX FONTAINES DU DÉSIR, 1927.
LA PETITE INFANTE DE CASTILLE, 1929.

LES JEUNES FILLES.

* LES JEUNES FILLES, roman, 1936.
** PITIÉ POUR LES FEMMES, roman, 1936.
*** LE DÉMON DU BIEN, roman, 1937.
**** LES LÉPREUSES, roman, 1939.

LA RELÈVE DU MATIN, 1920.
LES OLYMPIQUES, 1924.
MORS ET VITA, 1932.
ENCORE UN INSTANT DE BONHEUR, poèmes, 1934.
LES CÉLIBATAIRES, roman, 1934.
SERVICE INUTILE, 1935.
L'EQUINOXE DE SEPTEMBRE, 1938.
LE SOLSTICE DE JUIN, 1941.
TEXTES SOUS UNE OCCUPATION (1940-1944), 1953.

Théâtre.

L'EXIL, 1929.
LA REINE MORTE, 1942.
FILS DE PERSONNE. — UN INCOMPRIS, 1943.
MALATESTA, 1946.
LE MAITRE DE SANTIAGO, 1947.
DEMAIN IL FERA JOUR. — PASIPHAÉ, 1949.
CELLES QU'ON PREND DANS SES BRAS, 1950.
LA VILLE DONT LE PRINCE EST UN ENFANT, 1951.

HENRY DE MONTHERLANT

LA RELÈVE DU MATIN

LE LIVRE DE DEMAIN

LIBRAIRIE ARTHÈME FAYARD

18-20 Rue du Saint-Gothard

PARIS XIV

1953

GLOUCESTERSHIRE COUNTY
RESERVE
LIBRARY

BIBLIOGRAPHIE

1. LA RELÈVE DU MATIN. 1920. Paris. Société littéraire de France.
30 vélin blanc
et le tirage ordinaire (720-exemplaires).

2. LA RELÈVE DU MATIN. 1921. Paris. Bloud et Gay.
Édition augmentée d'une préface et d'un essai (*Le Jeudi de Bagatelle*) inédits.
Tirage ordinaire.

3. LA RELÈVE DU MATIN. 1923. Paris. Bloud et Gay.
Nouvelle édition comportant des modifications dans e texte.
10 Hollande Van Gelder Zonen.
et le tirage ordinaire.

4. LA RELÈVE DU MATIN. 1928. Paris. Plon. Collection L'Abeille garance. Bois gravés de Carlègle.
50 Japon (I à L).
1.200 vélin pur fil du Marais (1 à 1.200).
8 H. C. Japon (A à H).
15 H.C. vélin pur fil du Marais (J à Y).

5. LA RELÈVE DU MATIN, s. d. (1929). Paris. Éd. Spès. Collection L'Arbre . Dix lithographies de Robert Delaunay.
10 Japon impérial (1 à 10).
50 Hollande Van Gelder (11 à 60).
440 Vélin pur fil Lafuma (61 à 500).
5 H. C. Japon impérial (I à V).
15 H. C. Hollande Van Gelder (VI à XX).
25 H. C. vélin pur fil Lafuma (XI à XLV).

6. LA RELÈVE DU MATIN. (Trois essais extraits de) 1930. Paris. Pour la Société des Amis de l'Édition d'Art. Six dessins relevés d'aquarelle, de Marie Capron. (Hors commerce.)
2 vieux Japon (I à II).
68 Hollande Van Gelder Zonen (III à LXX).

7. LA RELÈVE DU MATIN. 1933. Paris. Grasset.
Texte revu et corrigé. Préface nouvelle.
30 Lafuma
et le tirage ordinaire.

8. LA RELÈVE DU MATIN. 1933. Paris. Grasset. Collection « Œuvres de Henry de Montherlant », dans la bibliothèque Grasset.

9. LA RELÈVE DU MATIN. 1938. Paris. Grasset.
Collection « Œuvres illustrées de H. de M. », gravures d'André Jacquemin.
200 vélin pur fil Lafuma.

10. LA RELÈVE DU MATIN. 1943. Paris. Gallimard.
3.100 châtaignier.

11. LA RELÈVE DU MATIN. 1944. Paris. Grasset.
Frontispice de Jacques Dupont.
Tirage ordinaire.

12. LA RELÈVE DU MATIN. 1946. Paris. Laffont.
3.500 chif. blanc d'Annonay, dont 50 H. C.

13. LA RELÈVE DU MATIN. 1948. Paris. Les Deux Sirènes.
25 simili Japon.
150 photex Cartridge.
2.965 ordinaire.
10 H. C. simili Japon.

14. LA RELÈVE DU MATIN. 1949. Paris. Éd. S. E. P. E.
24 Marais Crèvecœur
et le tirage ordinaire.

15. LA RELÈVE DU MATIN. 1949. Paris.
Éd. La Table ronde. Trente pointes sèches originales de Michel Ciry.
3 Japon nacré.
9 Japon imp.
68 Montval.
110 Marais.
46 ex. H. C.

16. LA RELÈVE DU MATIN. 1954. Paris. Fayard.
« Le Livre de Demain ».

PRÉFACE
(1933)

Tout n'est pas mauvais dans la Relève du Matin; *il y a des paillettes. N'importe, pour quelqu'un qui a écrit depuis : « J'ai atteint un âge où les seuls soucis d'art sont celui du mot propre, et de ne rien ajouter* [1] *», cette lecture, aujourd'hui, ne se fait pas sans soupirs, sur l'ingrate condition de l'homme, obligé d'en passer par l'âge de vingt ans.*

Le jeune auteur de la Relève *revêtit une réalité admirable d'un voile irisé et papillotant, qui diminua cette réalité, au lieu de l'augmenter. La chaleur de son sentiment, quand il écrivait, était vive et peu commune. Être parvenu, par excès de style, et erreurs de style, à en faire quelquefois douter, être parvenu à faire quelquefois sonner le creux à ce sentiment si plein et si dense, on peut dire que c'est une prouesse de la mauvaise littérature, — et un exemple des dangers que court*

1. *Pour une Vierge noire* (1930).

un débutant dans les lettres, à subir l'influence d'un écrivain qui, si bel artiste soit-il, est un mauvais maître.

Les défauts sont visibles surtout dans la Gloire du Collège. *Fleuri, tarabiscoté, impropre et prolixe, le style de ces pages est le plus souvent indéfendable. Et quoi de moins* togatus, *malgré certain scrupule de l'auteur? L'Oronte y roule à flots, et la flûte syrienne les traverse, célébrant le culte du jeune Attis. C'est l'Italie si l'on veut mais touchée par l'Orient; mettons que c'est Venise. La* Gloire du Collège, *c'est un plafond à la vénitienne, avec la sensibilité en plus. Avec force violes, force guirlandes, force effets de mollets et de cuisses, force envols de draperies soigneusement étudiés, les anges emportent à travers le ciel non plus la maison de Lorette, mais le collège Sainte-Croix de Neuilly, qui se demande ce qui lui arrive.*

L'auteur, d'ailleurs, était conscient de ce qu'il faisait. Le titre même, la Gloire du Collège, *est inspiré de quelque* Trionfo, *peut-être le* Triomphe de Venise, *de Véronèse, au palais des Doges ; on est prévenu qu'il s'agit bien d'une transfiguration délibérée. Mais qu'on sache que nous n'avons pas, pour cela, méconnu, laissé échapper la réalité dont la* Gloire *est le phantasme. Si le goût nous venait d'écrire aujourd'hui, sur cette réalité, une œuvre nue, directe — la vie même, — nous n'aurions qu'à laisser aller la plume. Cette réalité, en nous, est restée intacte. La* Gloire *peut la recouvrir, comme une nuée fallacieuse ; un geste écarterait cette nuée. Veut-on une autre image? Un Greco qui n'aurait peint encore que le registre supérieur du* Comte d'Orgaz; *mais saurait qu'il a dans la tête et dans les doigts la scène du bas, et qu'elle sera œuvre le jour qu'il choisira.*

Si nous avions voulu nettoyer à fond ce livre, nous en aurions enlevé de véritables tombereaux d'ordures. Je note un fait, qui me semble curieux. La Relève *parut en octobre* 1920. *Dès octobre* 1921, *dans l'avant-propos que nous don-*

nions à la première réimpression (on le trouvera ici, en note), nous écrivions : « Quand j'en fus à relire certaine Gloire du Collège, *qui tient par ici de la place, si grand fut mon dégoût que je faillis en supprimer les trois quarts. Il n'est peut-être pas une seule ligne de ce morceau que je ne me sente capable de remplacer aujourd'hui par un trait qui soit à la fois plus bref, plus précis, et plus fort. » Un an seulement, un an a suffi pour que s'accomplît dans un esprit une telle transformation! Il me semble voir l'esprit à l'image de ces ciels du couchant, qui d'une minute à l'autre changent, et parfois du tout. Ma mère m'a raconté qu'un jour, quand j'étais petit enfant, elle me vit crisper les traits et les poings, en regardant le ciel, et comme elle m'en demandait la raison, moi de répondre : « Je voudrais arrêter les nuages, et je ne peux pas. » Torrent de l'âme, qui vous arrêtera?*

Tombereaux d'ordures, disions-nous. Nous en avons enlevé quelques-unes, mais nous avons laissé les autres. Une œuvre écrite avant trente ans, si on veut lui conserver, plus tard, son caractère authentique, il faut lui laisser bon nombre de ses sottises : c'est le visage de la jeunesse, ses points noirs et ses boutons; quelquefois, il n'y a que la nuque de fraîche. Mais la Relève du Matin, *elle aussi, a la nuque fraîche.*

La maladresse qui poussa l'auteur de la Relève *à s'efforcer d'embellir, de « poétiser » le réel, et plus il en faisait en ce sens, plus il infirmait son œuvre et s'écartait de ce qu'il eût dû faire ; cet entêtement à délaisser le plus court chemin, et le plus uni, pour se fourvoyer tantôt dans des sentiers âpres, tortueux, difficiles, qui ne firent que l'éloigner de son but, où il perdit son temps et des plumes, et tantôt dans des culs-de-sac qu'on ose qualifier de sensationnels ; ces phrases ambitieuses et mal fichues et qu'aujourd'hui, du premier jet, je remettrais d'aplomb (je l'ai fait quelquefois), découvrant en un instant cette solution cherchée avec peine, et en vain, il y a treize ans, — je retrouve là les traits propres de l'adolescence, son génie tragique de se heurter à des barreaux qui n'existent pas. Entre vingt et vingt-quatre ans, nous savions bien tout ce qu'il y a dans l'adolescence « d'inachevé et d'inemployé, d'inégal et d'incertain, d'infructueux et d'insatisfait ». Seulement, savions-nous que tout cela nous ligotait encore, et nous paralysait, et que c'était notre livre qui en était la meilleure preuve? Ainsi la maladie de la jeunesse est partout dans la* Relève : *l'auteur la décrit chez les autres, mais elle est en lui et il l'ignore. En corrigeant aujourd'hui ce livre, il ne fallait pas toucher trop à cela.*

★

Mieux qu'une dissertation, sur le point de savoir en quoi j'approuve et en quoi je désapprouve, après treize ans, les idées exprimées dans cet ouvrage au sujet des jeunes garçons, une petite anecdote me permettra de montrer ce qui subsiste en moi de l'esprit de la Relève du Matin.

Il y a quelques mois, certaines circonstances m'avaient mené dans un intérieur modeste, la veille du jour où ses occupants — père, mère et fils — quittaient ce logement, dont ils ne parvenaient plus à payer le loyer, pour aller s'entasser à trois dans une unique chambre d'hôtel, et de quel hôtel! L'homme, hier gérant d'un magasin de chapeaux, avait perdu sa situation à la suite d'une maladie, assez installée aujourd'hui pour qu'elle lui interdît à jamais d'occuper un autre emploi ; c'était un homme simple de cœur, et en apparence assez policé (du fait peut-être de sa maladie), mais anéanti par l'infortune : il achevait de manger les quatre sous qu'il avait de côté. La femme était une grossière ménagère, sale, prétentieuse et fétide. L'enfant était un mômichon d'une treizaine d'années, que je ne fis qu'entrevoir, assis et pompant sa leçon devant la table de la salle à manger, pendant que ses parents préparaient leurs hardes. L'odeur de la misère, qui m'avait happé sitôt le seuil franchi, imbibait ce logis, — corps non lavés, vêtements et linge imprégnés par ces corps, fumée de tabac refroidie, fenêtres hermétiquement closes dans tout l'appartement, malgré le temps radieux, le tout mêlé et comme coagulé par un infect fumet de graillon, une sorte de graisse de fricot suspendue dans l'air, et dont j'imaginais qu'elle avait déposé sur tous les objets, au point que, d'avoir touché seulement le bouton de porte, ou le dos du fauteuil d'osier claudicant, mes doigts avaient dû recueillir cette odeur de bouillon, qui est l'odeur typique de la pauvreté. C'était la femme, à coup sûr, — cette femme avec permanente, *mais dont le peignoir portait une sorte de plaque pectorale, grise et luisante, faite d'un semis de taches de graisse — c'était la femme qui ajoutait au dénûment de cet intérieur cette abjection qui pouvait être évitée, cette complaisance dans l'immonde, qui soulevait le cœur, et ruinait la pitié.*

Ces gens, depuis que j'étais là, ne m'avaient entretenu que de leurs malheurs, et c'était bien naturel. Je ne voyais pour eux aucune ouverture. Le seul argent du ménage était ce que l'homme gagnait ; or, il était inguérissable, et plus jamais ne gagnerait. Ni lui, ni elle, ne pouvait compter sur sa famille. La seule hypothèse à leur sujet qui fût vraisemblable, était celle de l'écrasement progressif, entre les mains de ces deux atroces divinités, la Misère et la Maladie. Ayant fait ce que j'avais à faire chez eux, je me disposais à prendre congé. L'homme et moi, causant, nous nous étions arrêtés devant la porte de la salle à manger, où le petit garçon ne se trouvait plus. Soudain, mes yeux se fixèrent sur le livre qu'il avait laissé, un petit volume cartonné, mi-vert foncé, mi-vert d'eau — une vieille connaissance, — et je lus le titre : Virgilii Maronis Opera.

Quel saisissement! Pas un instant il ne m'était venu à l'esprit que ce garçon fût écolier autre part qu'à l'école primaire, ou dans une école professionnelle. Ainsi donc, dans ce décor sordide, au milieu de ces soucis sordides, dans ce milieu où rien, au matériel et au moral, n'était et ne serait jamais autrement que sordide, quelqu'un — et qui donc! — maintenait l'idéal d'une civilisation de l'esprit et d'une vie désintéressée! Je ne pouvais plus détacher mes yeux de ce petit livre qui était là, comme un reflet de soleil dans une prison. Il me semblait qu'il sauvait toute la maisonnée. Il me semblait que lui, si je l'avais touché, je ne me serais pas mis l'odeur de soupe aux doigts. Et je me souvenais que, par deux fois, (dans la Relève *et dans le* Paradis*), j'étais revenu sur ce fait, comme sur un fait social digne de remarque, que, dans tant d'intérieurs grossiers, et grossiers au dernier point, l'unique lueur de vie spirituelle et de culture était donnée par un gamin décrié.*

A ma question, le père répondit que son fils, ayant passé à l'école primaire certain examen nouvellement créé, avait bénéficié de la « sixième gratuite » et faisait sa sixième, gratis, au lycée. « Un professeur m'a dit que ce serait mieux s'il faisait du latin. Alors, je l'ai mis en A. Oh! c'est qu'il aime bien son latin! D'ailleurs, il est très sérieux. C'est un homme. » Et moi, j'aurais voulu connaître le professeur, qui, en l'an 1933, avait eu l'étrange et merveilleuse inspiration de diriger vers le latin l'enfant de ces pauvres, *ce petit pauvre lui-même ; j'aurais voulu lui serrer la main (mais peut-être aurait-ce été un geste inconsidéré).*

Si on nous parle de l'école unique, ou de la sixième gratuite, les objections se présentent en foule. Elles sont connues, et elles sont fondées. Et puis, qu'un cas concret se présente, une sorte d'élan humain nous fait sauter par-dessus ces objections. Maintenant que je voyais qu'il y avait dans cet enfant la possibilité d'une éducation un peu supérieure, j'aurais trouvé dramatique, pis, j'aurais trouvé mal *que cette possibilité fût méconnue, et qu'il finît dans la casquette, comme le papa. Bien des opinions, ainsi fondées et indiscutablement fondées, ne tiennent plus au contact de l'être vivant. A la bonne tenue de la rue on juge un peuple; mais, que je voie un agent faire sortir d'un square un pauvre, pour l'unique raison qu'il est vêtu en habits de pauvre, je frémis. La justification de la guerre peut prendre la forme d'une haute pensée ; mais devant un soldat qui agonise sous vos yeux, elle s'écroule. Un patriote, hélas, a le devoir d'être « colonialiste », même sachant qu'il n'y a de colonie solide que celle où on pratique l'injustice d'une façon systématique. Mais, chaque fois qu'on apprend qu'un colon a été acquitté, ayant tué un indigène parce que celui-ci lui volait une figue, on se dit que cela aussi n'est pas possible. La pratique des choses resterait cependant assez facile, s'il suffisait de tenir comme acquis que nous aurons toujours moins de rigueur pour un individu que pour une masse. Par malheur, il est en nous une disposition tout aussi certaine que celle-là, et qui est son contraire même : à savoir que nous pouvons aimer une masse dont nous détestons les individus (l'égoïste patriote, le misanthrope généreux, etc...). D'où l'incohérence qui est la règle dans l'action, et le caractère relatif de la pensée, juste en son fond, que c'est dans l'action seulement qu'on doit juger un homme, et que lui-même il se peut connaître.*

Le lendemain, pour la première fois, je regardai le petit garçon, lorsque, venant du dehors, il entra dans l'appartement. Il était maigrichon, assez fin de visage, paraissant moins hypocrite que bien élevé, et il m'était difficile de supposer qu'il ne fût pas mal soigné de sa personne. Ses culottes en velours brun à côtes, et le sac à provisions qu'il rapportait garni du marché, disaient son humble condition, cependant que la boîte à violon qu'il tenait sous son bras, indiquait qu'on voulait l'élever au-dessus de cette condition : ce violon et ces culottes de velours sont les attributs typiques de toute une classe de « garçonnets » de la petite bourgeoisie citadine française, peuple encore, mais brûlant de s'en dégager. Tandis que son père s'apprêtait à sortir avec moi, je vis l'enfant laisser paraître sur son visage une vive inquiétude ; enfin il parut se décider, appela son père et lui dit un mot dans l'oreille. A l'instant, le père jeta un regard sur le bas de son pantalon. Il était couvert de taches de boue sèche, que l'homme, ayant pris une brosse, se mit à brosser.

Si cet enfant, seul des trois, voyait des taches de boue sur le pantalon de son père, et en souffrait, ne devait-il pas voir aussi tout ce qu'il y avait dans cet intérieur qui était repoussant de saleté? Ce trait, sa tournure (une façon de se tenir droit, assez petit prince), le mot de son père, « Oh! c'est qu'il aime bien son latin! », me portèrent à croire qu'il était d'une espèce plus fine que ses parents. Puis une pensée nouvelle me vint, et, pendant quelques instants, je fus tout occupé à rechercher dans ma mémoire depuis combien de jours il n'avait pas plu ; je trouvai : cinq ou six jours au moins. Donc, l'enfant avait accepté ces taches de boue durant cinq ou six jours, et n'en avait souffert que du moment qu'un étranger les voyait. Alors, je pensai que j'existais pour lui, et j'en fus alerté. Je pensai qu'il avait dû deviner que la crasse de son foyer me dégoûtait (répétons-le, il y avait dans ce foyer deux choses distinctes : de la misère, respectable ; et une indifférence à l'immonde, qui forçait à être sévère). Je pensai qu'il croyait peut-être que je méprisais ses parents. Je supposai que je n'étais pour lui qu'un homme qui a de l'argent, c'est-à-dire l'ennemi ; un goujat qui, s'introduisant ainsi dans leur tanière, violait le douloureux secret des siens. Pour la première fois depuis que j'étais en contact avec cette famille, je craignis d'être jugé.

Je l'imaginais aussi à son lycée, parmi des camarades riches, quelques-uns même, sans doute, très riches, et qui en éclaboussaient les autres, avec l'impudence naturelle aux gamins. Pouvait-il n'en souffrir pas? n'en tirer pas des raisons de haine? Mais surtout je l'imaginais, ce soir, dans cette chambre de bas hôtel où ils allaient émigrer. La mère m'avait dit qu'elle ferait « la popote » dans la chambre. Et le père : « On mettra un matelas par terre pour le petit. » Que deviendrait Virgile dans cette chiennerie? Quel homme, à plus forte raison quel écolier, aura des facultés suffisantes pour s'abstraire et travailler dans de telles conditions? Il me parut qu'il était comme fatal que l'effort fait par ces gens pour soulever et maintenir leur fils au-dessus de la bourbe où ils s'enfonçaient ne pût être mené à sa fin, et qu'une heure viendrait où le « rayon de connaissance [1] » qui avait effleuré cet enfant, s'atténuant et s'atténuant toujours à lutter contre trop d'épaisseurs, enfin cesserait de le toucher.

Durant l'heure que je dus rester là, je vis le garçon, à trois reprises, aller aux cabinets. « Il va rendre, *m'expliqua enfin la mère. Je crois qu'il a mangé ce matin quelque chose qui n'a pas passé. Ça doit être l'aïoli. » Pour moi, du premier instant, je n'avais eu aucun doute. Le petit vomissait parce qu'il avait le cœur tourné par ce départ, qui matérialisait si brutalement la détresse de son foyer.*

Comme j'eus l'occasion de revoir pendant assez longtemps, ensuite, cette famille, je me liai un peu avec l'enfant, bien que sa réserve fût extrême, et qu'il n'eût pour moi aucune sympathie. Un jour je lui dis : « Vous vous souvenez que, le jour où vous avez quitté votre appartement, vous vomissiez? Votre mère m'a dit que c'était parce que vous aviez mangé je ne sais quoi... Moi, je m'étais mis en tête que c'était tout simplement parce que vous étiez ennuyé... » Je disais cela dans le vide, convaincu que, amour-propre et pudeur, il nierait ; ou plutôt qu'il ne répondrait pas. Mais il répondit sans ambages, et avec l'accent de la vérité : « Oui, ça me faisait marronner de voir qu'on quittait l'appartement. J'aimais bien notre appartement. Et puis de voir que papa ne trouvait pas de travail, etc... »

1. Bossuet.

Cela, sa mère ne l'avait pas vu. Elle était dans son rôle de mère, de mère et de ménagère : les yeux fermés sur son fils, les yeux ouverts sur l'aïoli. Moi, je l'avais vu. Parce que j'étais un étranger.

Ceux qui liront ce livre comprendront pourquoi j'ai raconté ici cette petite anecdote, qui, au travers de treize années, sonne à l'unisson de la Relève *d'autrefois.*

Quelques personnes trouveront peut-être qu'il est malaisé de concilier deux textes tels que la Relève du Matin *et* Explicit Mysterium, *offerts au public à quelques mois d'intervalle.*

Nous leur répondrons que le doute quant à la vérité du catholicisme est exprimé à plusieurs reprises dans et dès la Relève *(p. 128, le « ciel vide » ; p. 23, « C'était donc vrai ! » ; et surtout p. 36, « Je ne crois pas que le don de la foi soit un* sine qua non *de l'éducation catholique », et la suite). Les phrases qui impliquent l'existence de Dieu y voisinent avec celles qui font une sage réserve : inconséquence regrettable, mais dont nous dirons, à notre décharge, qu'elle est constante chez les meilleurs écrivains de l'antiquité, qu'elle n'a empêché ni de penser à peu près convenablement, ni — ce qui nous importe davantage — d'être des hommes vertueux.*

Nous n'avons jamais été un chrétien authentique. Mais nous avons toujours été quelqu'un pour qui le bien et le mal existent, et qui a adoré la morale naturelle à travers les formes de la machine catholique.

Si nous étions de ceux qui ne marchent droit que par espoir ou par crainte, ce serait pour nous une question primordiale, de nous faire une opinion sur le point de savoir si un Dieu rétributeur existe ou n'existe pas, et si ce Dieu, à supposer qu'il existe, ne serait pas par hasard celui des chrétiens. Mais comme nous suivons par pente la morale naturelle, avec un élan vif et presque passionné, sans ressentir le moindre besoin d'une providence, ni d'une survie, ni d'une justice d'outre-tombe, c'est une question bien secondaire pour nous si nous devons rapporter ou non nos actions à une divinité, et à laquelle. Quelque choix où nous nous arrêtions, il ne changerait rien à notre conduite. Il y a donc là un problème qui ne nous attire pas, et d'autant moins qu'il est insoluble, comme c'est l'évidence même.

Bref, je ne crois pas au Dieu des chrétiens, mais j'apporte à l'Église sympathie, adhésion et (l'occasion s'en offrant) appui. Cela :

parce que, la morale chrétienne pratique étant le plus souvent la morale tout court, je l'admire et m'efforce de la suivre ;

parce que ma formation, ma culture, ma sensibilité, mon imagination, mon tempérament même sont l'œuvre du paganisme ; or, quelqu'un qui veut retrouver l'antiquité, aujourd'hui, non dans les monuments et les livres, mais vivante, ne la trouvera nulle part autant que dans l'Église catholique ;

parce que l'Église est mêlée à ma famille depuis que celle-ci donne trace d'elle-même. Je trouve ce Christ dans mon héritage et je l'accepte avec le reste, par point d'honneur et par piété, comme on accepte la succession de ses parents, ne vous apportât-elle que des ennuis. Pour rompre avec ce vieux Génie du foyer il me faudrait des raisons irréfutables. Je ne les ai pas.

Cette position étant toute personnelle, et d'ailleurs sans la moindre originalité, nous ne nous y étendrons pas plus longuement [1].

Étant bien entendu, en post-scriptum à ce qui précède, que, de même que Tibère, en une parole qui restera toujours à son crédit devant la « conscience humaine », se refusa à jurer,

1. La *Nouvelle Revue Française* de mai 1923 a publié de nous, sur ce sujet, un texte où brame, beugle et barrit la sottise de la jeunesse, mais qui, pour le principal, ne diffère pas beaucoup de ce que nous pensons aujourd'hui.

comme le demandait certain rite, sur ses actes à venir, *disant qu'il ne pouvait pas répondre de ce que seraient ses actes dans l'avenir, de même nous faisons avec force toutes réserves sur nos sentiments à venir touchant la religion.*

Il est une autre raison pour laquelle, aujourd'hui, nous aurions répugnance à abandonner l'Église. Nous nous en expliquions dans les pages qui anciennement terminaient cette préface.

Je ne suis pas un citoyen du monde. Je ne suis pas un « Européen ». C'est en Français, en Français de mars 1933 (attention!) que je disais : en prévision d'épreuves possibles, ne touchons pas à la religion ; ne touchons à rien de ce qui, un jour, pourra donner de la force aux gens de ce pays.

J'avais développé cela, et, je le crains, avec une certaine émotion. On demandait à un homme que je sais pourquoi il n'avait pas de fils. Il répondit : « Mon pays m'a tenu lieu de fils. » Je ne doutais pas que ces pages ne fussent entendues de tous ceux qui — pour leur malheur — sentent comme cela.

Je les soumis à quelques-uns d'entre eux. La réponse fut unanime. Ces pages étaient « dangereuses » parce qu'elles « prévoyaient le pire ». Ce n'était pas cela qu'on attendait de moi. Je devais être un « messager d'espérance ». Etc...

La France des temps modernes a choisi le mode de vie qu'elle préfère. Ce qu'elle veut, c'est porter toutes les x années au Minotaure quinze cent mille de ses jeunes gens, pourvu que, grâce à ce tribut, le reste du temps elle puisse ne pas s'en faire. C'est cela que la France a choisi. Chacun arrange sa vie comme il lui plaît, n'est-ce pas? Chacun est bien libre d'avoir sa combine. D'ailleurs les quinze cent mille jeunes gens trouvent la combine excellente. Ils acceptent d'être dévorés demain ou après-demain, pourvu que jusque-là ils puissent n'avoir aucune autre préoccupation dans leur vie — mais ce qui s'appelle aucune — que de savoir par combien de buts le TATA a battu le TOTO.

Dans ces conditions, j'ai fait tomber ces pages. Que les peuples aient les destins qu'ils se créent eux-mêmes! Il y a des moments où on est las de prendre sur soi les inquiétudes qu'ils n'ont pas, les indignations qu'ils n'ont pas, les justes haines qu'ils n'ont pas, et d'être seul, ou quasi seul, pendant qu'eux ils rigolent, à en empoisonner sa vie. Et puis, quand on vient de supprimer deux cents pages sur les huit cents d'un manuscrit [1]*, pour des scrupules, on peut bien, pour d'autres scrupules, en supprimer ailleurs cinq ou six.*

Voilà maintenant bien des années que, « pour des scrupules », je me tais sur l'essentiel de ce que j'aurais à dire; bien des années que, même quand je parle, je reste en deçà de ma pensée. Et je me prends à craindre que, toujours de plus en plus empêché, un jour ne vienne où je ne puisse plus écrire que des « descriptions », des sonnets, ou des contes de fées. Mais quoi! depuis que le monde est monde, celui qui ne sait pas dit tout, et celui qui sait ne dit qu'à demi. D'ailleurs ces sacrifices, ne touchant qu'à mes écritures, restent comme elles dans le secondaire de ma vie. Laissons donc cela. Mais j'ai voulu bien marquer qu'en tête de cette nouvelle Relève *se trouvaient d'abord d'autres pages où je tirais mon bonnet à la religion, et indiquer, aussi courtement et sèchement qu'il m'était possible (Mon Dieu, préservez-nous du lyrisme! Mon Dieu, préservez-nous du « don oratoire! » Mon Dieu, adaptez-nous au bon goût français!), pour quelle raison je les avais enlevées.*

Alger, mars 1933.

1. *La Rose de Sable.*

LE JEUDI DE BAGATELLE

Dans la plaine de Bagatelle, où les écoliers du jeudi jouent au ballon.

La fin d'octobre. Peu après la guerre.

MOI, *arrivant.* — C'est terrible, mon cher abbé ! C'est une provocation ! Toute cette plaine est aux mains des hommes noirs.

L'ABBÉ. — Je ne sais quel hasard, ou quelle convention tacite, livre chaque jeudi en entier ce grand terrain de Bagatelle aux seules maisons d'éducation catholique. On me dit que le recrutement des équipes de ballon est aujourd'hui assez difficile dans les lycées ; les élèves iraient le jeudi au dancing. Voilà peut-être une demi-explication.

MOI. — J'aime ce lieu, j'aime ce lieu. Souvent, lorsque, une longue matinée, je suis resté courbé sur ma table, le brusque besoin de la vie me prend, vif comme la colère ou la soif. Alors, en trois minutes, le frais petit tramway nous transporte, mon chien et moi, de Neuilly jusqu'à ce plein air : ce voisinage du Bois me donne sans cesse ce qu'il me faut de temps perdu pour ne pas perdre ma vie. Je n'ai pas encore aperçu vos soutanes qu'aux visages des garçons qui s'acheminent j'ai reconnu de petits catholiques, comme on peut le faire aussi, les dimanches matin, à la poussière des bancs de catéchisme demeurée sur leurs genoux nus. Avouons toutefois que j'avais davantage de mérite lorsque, à seize ans, au collège, je discernais à leur seule tournure les élèves qui « faisaient » de l'anglais et ceux qui faisaient de l'allemand. O jeudi, gentil jour ! Le dimanche est vraiment le jour de la bêtise triomphante, le jour le plus bête de la semaine. Mais le jeudi est le jour de la jeunesse. Si Jésus revenait sur la terre, il choisirait certainement un jeudi pour y apparaître. Tenez, je l'imagine descendant ici, parmi vos petits joueurs de *foot*. Ils s'arrêtent de jouer, viennent autour de lui, enlèvent leurs casquettes ; ils ne sont pas du tout étonnés. Nous deux (et le bon chien) nous restons un peu en arrière, attendant qu'il nous fasse signe, cependant que je songe : « C'était donc vrai ! »

L'ABBÉ. — En aviez-vous douté?

MOI. — Auprès d'eux, je ne le pourrais pas. Vous me faites souvenir du mot que m'a dit un grand athée : « Il n'y a jamais que devant un enfant que je regrette de ne pas croire. »

L'ABBÉ. — Ils exhalent le christianisme comme une odeur, et nous, leurs maîtres, nous en sommes pénétrés. Voyez celui-là, si gentiment mal habillé, avec un certain chic naturel et en même temps ce débraillé, le chic des enfants riches mais dont les parents ne s'occupent pas. Eh bien, il y a cinq minutes, quand la marchande était là, il a acheté des gâteaux, puis a fait la grimace en disant : « Oh, je ne les aime pas. Si tu les veux... » et les a offerts à un de ses camarades, à qui ses parents ne donnent pas d'argent de poche. Et ce camarade, vous entendez bien, *n'était pas son ami*, et il n'est pas vrai qu'il n'aimait pas ces gâteaux, car il a menti, si vous aviez vu, d'un mal! Cependant voilà un enfant qui n'est ici que par faveur. Il devrait être à l'heure actuelle en retenue, pour s'être découpé un masque de bandit dans son feutre mou. Mais suis-je bien sûr qu'il ne soit pas plus proche que moi de Jésus-Christ?

MOI. — Il reçoit davantage de grâce, je le crois. Ce n'est pas par hasard que le plus jeune des disciples est celui qui fut préféré. Ce choix a un sens.

Charmide, lui aussi, avait seize ans, et Lysis. Rien d'étonnant pour ceux qui croient à la mission divine du peuple grec.

L'ABBÉ. — Je ne suis pas de ceux-là, je l'avoue.

MOI. — Admirez au moins la rencontre des deux grandes sagesses qui sont restées la substance de notre vie morale. L'une, en propres termes, nous a proposé comme modèle les enfants; l'autre a été versée dans des garçons qui, de nos jours, n'auraient pas encore passé leur bachot.

Il y a un signe sur la jeunesse.

L'ABBÉ. — Vous me remettez en esprit les deux maîtresses objections que je fais à votre *Relève du Matin*. La première est de travailler à l'avènement d'un nouveau mal social, l'*adolescentisme*, si vous voulez, ou le *juvénilisme*, concurrent du féminisme et dans le fond opposé à lui, — mal que provoquerait vite une conception du monde où la jeunesse est considérée comme tabou, le fait d'être mineur comme une preuve suffisante qu'on a raison, et l'âme d'un écolier de treize ans comme une perle de richesse humaine. Ma seconde objection s'adresse à la formule que vous proposez aux prêtres éducateurs : savoir, *créer de la crise* chez les jeunes garçons « de treize à dix-sept ans » qui leur sont confiés! Là-dessus, je demande quelque lumière. Toutefois, entendons-nous! Une lumière qui permette de distinguer. De grâce, pas de fulgurations! Les vôtres ne m'éblouissent pas toujours, et, quand elles m'éblouiraient, j'indiquerais par ce mot même qu'à ce moment-là je n'y vois goutte. Bref, la *Relève* fait respirer une odeur, — une odeur assez âcre de bourgeon. Je voudrais maintenant vous voir défolier un peu le bourgeon, en naturaliste et non plus en maître de parfums.

Moi. — Je le veux aussi. Un dieu a composé pour nous cette minute. De sentir à côté de nous ces êtres, il me semble que nous ne pourrons penser que justement, ou tout au moins proprement. Je suis sûr que Socrate n'aurait pas eu le désir de la vérité, s'il n'y avait eu autour de lui des âmes qu'il aimait, c'est-à-dire dont la seule existence engendrait en lui ce désir. Comme lui, nous voici au milieu des Jeux, à quelques stades de la cité; voici même notre Ilissus qui scintille derrière ces arbres. Et nous aurons sur Socrate cet avantage de n'être pas distraits par les jeux, car il faut que je vous fasse tout de suite, mon cher abbé, pour être plus libre, une remarque qui me fait gros sur le cœur : je veux dire que vos enfants sont bien gentils, mais jouent bien mal. Savez-vous qu'ils n'ont pas la première notion de ce qu'est le football? Enfin, je leur pardonne, à cause de ces deux qui bavardaient tout à l'heure pendant la mi-temps, les souliers lourds, les genoux couverts de boue, mâchant du chewing-gum et tels en tout que de gracieux petits butors. J'ai prêté l'oreille et j'ai entendu : « Virgile... » — O Virgile, le tilleul de Saint-Dié, qui a fleuri neuf cents mois de mai, me touche moins fort que vous, quand je vous vois refleurir, à chaque automne, sur les lèvres d'une nouvelle génération d'enfants.

Il vous paraît donc, mon cher abbé, que j'accorde une importance excessive à la jeunesse. Mais avant tout distinguons l'enfance, que je crois importante surtout pour ceux qui ont commerce avec elle, et l'adolescence qui est importante premièrement pour l'adolescent lui-même...

Un écrivain m'a vu penché sur les enfants « avec une sorte d'attente sacrée, comme les augures scrutaient les sources pour en entendre sortir des voix ». Image qui est plus qu'une image. Je veux vous dire ceci : je crois que la plupart des enfants sont des inspirés, des moyens pris par Dieu pour s'exprimer. A leurs heures, comme tous les voyants, et entre de longs espaces de nuit, ils aperçoivent des relations qui nous sont cachées. Dante dit à deux reprises que les songes du matin sont plus véridiques que ceux du jour et de la nuit, l'esprit y étant « presque doué des facultés divines dans ses visions ». Cette remarque peut être appliquée au « matin de la vie ». Sans expérience, des petits enfants découvrent et suivent le fil d'Ariane de la connaissance. Naturellement religieux, de plain-pied ils s'élancent, et nous les retrouvons installés dans les plus durs problèmes de la métaphysique, dont nous étions bien loin. Quelqu'un me disait qu'il avait entendu faire par un enfant de onze ans toutes les objections de l'athéisme, à tel point qu'il n'en avait jamais imaginé une seule, par la suite, qui ne lui eût été proposée par ce petit; il fallait que celui-ci fût diablement religieux pour avoir pu cela. Là où nous effleurons, puis nous retirons contents comme tout, l'enfant va droit au cœur des réalités. Grand signe royal : d'une chose il recherche moins l'utilité que la raison; il a le flair de la cause première. L'existence du bien et du mal, sinon l'utilisation pratique de ces catégories, est claire pour lui comme elle ne le sera jamais plus. A telle parole du jeune Gérard j'ai vu le bien et le mal se séparer devant moi, comme devant les Hébreux la mer; cet écolier m'est apparu, selon la grande image de Saint Paul, « couvert de la justice comme d'une cuirasse ».

L'humanité semble avoir eu toujours le pressentiment de ce saint caractère. Rien de moins original que la doctrine où je suis. Elle est celle de la réminiscence platonicienne :

l'âme de l'enfant, « encore attachée à l'âme du monde » (comme dit de son côté Hermès Trismégiste), se souvient de ce qu'elle a vu dans la pré-vie. Ainsi s'expliquent les témoignages des illustres : « J'en savais plus dans ma jeunesse que dans ma vieillesse » (Michel-Ange), « Ce n'est qu'en grandissant que je suis rentré dans la classe ordinaire; en naissant j'en étais sorti » (Rousseau), et tant d'autres. Partout on s'étonne. Les cultes les plus disparates choisissent cette légère vie pour instrument. Le symbolisme antique crée la légende du sage Homère, arrivé au terme de l'expérience, incapable de répondre à une devinette qui lui est proposée par un petit enfant. Jésus va dire des mots plus explicites, qui sont dans tous les esprits. Mais déjà il nous a donné là-dessus un monument de sa pensée, dans la réponse qu'il a faite, âgé de douze ans, à ses parents venus le chercher dans le temple, réponse dont il a voulu qu'elle fût la *seule* parole à subsister de toute sa jeunesse : « Ne savez-vous donc pas que je dois m'occuper aux choses qui regardent mon Père? » — « Mais son père et sa mère ne comprirent pas », ajoute le bon, le cruel narrateur. Il n'est pas à propos de mettre ici en lumière que, dès cette première phrase de la vie mortelle de Jésus, éclate cet impatient dédain dont il va donner cent preuves jusqu'à sa Résurrection. Pour ce qui nous regarde, tout est contenu dans ces trois lignes de l'Évangile : et la connivence de l'enfant avec Dieu, et l'incompréhension de ses parents. Elles pourraient servir d'épigraphe à notre entretien.

En effet, détachés depuis longtemps de la pré-vie, comment les parents pourraient-ils reconnaître le caractère fatidique de tant de ces paroles puériles? L'amour mimant parfois l'intelligence, beaucoup d'entre eux vont jusqu'à soupçonner un mystère. Mais tantôt leur médiocrité d'esprit le dégrade à leur mesure (« mots d'enfants », etc...), tantôt, s'étant étonnés, ils passent. On s'exclame : « Ce gamin dit des choses incroyables! », mais on rit en disant cela. Toutefois, notez à ce moment une certaine gêne. C'est celle que vous retrouverez, poussée au ridicule, chez des grandes personnes non habituées aux enfants et qu'un hasard plante en tête à tête avec l'un d'eux. Le président de conseil d'administration que je vis *rougir*, parce qu'un petit garçon de dix ans traversait le salon et venait lui parler, témoignait, sans le savoir, de l'antique terreur de l'homme à l'approche de la divinité.

Quand, vers sa dixième année, on cessera de trouver qu'il est « mignon », « impayable », etc..., le peu d'importance accordé par les parents aux paroles et aux actes de leur fils diminuera encore. A la lettre, on n'y fera plus attention. Il faut avoir reçu ce brusque don, comme un paquet d'eau, cette confiance véhémente, instantanée, sans réserve, d'un enfant à qui l'on a parlé une seule fois comme à un homme, pour deviner tout ce qui lui a manqué, et quel mal est fait par notre habitude de traiter d'office les enfants en imbéciles, *toujours au-dessous de leur âge.* Vous remarquerez, surtout de nos jours, où l'école s'est faite plus attrayante, combien nombreux sont les enfants qui préfèrent l'école à la maison : l'un des motifs en est que le maître, de par sa fonction même, et dans le privé les traitât-il en fourmis, est bien forcé de leur parler avec quelque sérieux. Qu'avec cela ils le sentent plus averti d'eux que papa-maman, les voici qui appuient sur le mors, s'enlèvent dessus pour un bon galop né de cette solidité.

Émouvant désir vers la vie la plus riche possible! J'ai lu ce trait plein de douceur : Sainte Jeanne de Chantal, assiégée par des enfants curieux dans une ville étrangère, lève son voile et leur montre son visage pour les rendre contents. Eh bien, nous autres, nous avons à lever le voile qui cache un visage dont tous les petits enfants sont avides : le visage de la vérité.

Ainsi jusqu'à treize ans. Treize ans! Balzac a écrit : « La femme de trente ans », donnant à cet âge une figure toute particulière. L'âge de treize ans chez les garçons me semble aussi à part, aussi nettement distinct des douze et des quatorze ans. Brève année éclatante! Sénèque a un mot voluptueux, pour dire que la splendeur de l'enfance paraît surtout à sa fin, comme les pommes ne sont jamais meilleures que lorsqu'elles commencent à passer. A treize ans, l'enfance jette son feu avant de s'éteindre. Elle traverse de ses dernières intuitions les premières réflexions de l'adolescence. L'intelligence est sortie de la puérilité, sans que l'obscurcissent encore les vapeurs de la vie pathétique qui va se déchaîner dans quelques mois. Avant de s'en aller pour sept ans dans de redoutables oscillations, l'être se repose une minute en un merveilleux et émouvant équilibre. Jamais cet esprit n'aura plus de souplesse, plus de mémoire, plus de rapidité à concevoir et à comprendre, jamais ses dons ne se montreront plus dépouillés. Il n'est rien qu'on ne puisse demander à un garçon de treize ans. Dans tous les collèges, la classe de troisième est une grande classe, de toutes la plus apte à de remarquables réalisations [1]; élèves de treize et de quatorze ans, ses éléments s'y complètent les uns les autres, les premiers ayant la supériorité intellectuelle sur les seconds, les seconds la supériorité affective. Et puis on entre en Humanités. Un âge est fini.

Voilà pour moi, mon cher abbé, l'importance de l'enfant. Il m'arrive souvent, quand j'en croise un dans la rue, de songer à tout ce qu'il y a en lui de gaspillé, et à la triste petite musique qu'il fait sans que personne écoute. On dit que Perrault écrivit ses Contes en collaboration avec son petit garçon Darmancour, sous le nom duquel ils parurent d'abord. Tous ceux qui pensent devraient se ménager un

1. Voir la note II, à la fin du volume.

pareil collaborateur à leur vie. Il leur dira trente paroles insignifiantes, puis une qui dans un homme prouverait le génie.

L'importance de l'adolescent, elle, ne me semble pas tant relative à nous. Un des contacts est perdu entre lui et l'inconnaissable. A la raison enfantine succède une folie [1] qu'on nommerait justement *morbus sacer :* mots qui disent et la maladie et sa nature, mais aussi le respect que nous lui devons. Et c'est alors pour la destinée même du jeune homme qu'est grave ce qui va se passer.

La tension de cette époque, cette impuissance douloureuse qu'on remâche dans la *Gloire du Collège*, ce triste état pourtant non nécessaire, si remédiable, si adoucissable, cela peut infirmer tous les sentiments, toutes les pensées, tous les gestes de cet âge : infirmes, ils n'en demeurent pas moins les premiers, avec ce que comporte de puissance tyrannique, dans la vie morale, le droit du premier occupant. « Illusion ! Mirage du souvenir ! Ne voyez-vous pas que c'est un mauvais fanal sur la berge ! » Possible ! mais il allonge dans le fleuve une colonne éblouissante. Le reflet éclaire la nuit, non le feu.

L'Ancien a dit en d'autres termes : « Le vase conserve toujours l'odeur du premier vin qu'on y versa. » Ce terrain est solidement acquis.

L'ABBÉ. — Permettez-moi une parenthèse. Vous avez dit : « Cet état non nécessaire... » Mais enfin il est dans la nature. Votre chien lui aussi a eu la maladie quand il était jeune. Chacun de nous, cinq années de son existence, doit revêtir cette tunique de Nessus qu'est pour lui la robe prétexte.

MOI. — Est-ce bien sûr? Si peu que varient les conditions où grandit un adolescent, l'intensité de sa crise varie

1. Voir la note III.

avec elles. Observez le garçon du peuple, l'apprenti, sans même aller plus loin que l'apparence, si révélatrice à cet âge. Il a encore la gravité de l'enfant, déjà le calme de l'homme qui a atteint sa force. Ni les disloquements, ni les gaucheries de nos collégiens; souvent l'air, auprès d'eux, d'être d'une race supérieure; il n'est pas (cette indication physiologique a son prix) il n'est pas jusqu'à l'impureté de teint, si fréquente dans notre *âge ingrat*, qui à lui ne soit épargnée. La liberté de vie, le défaut de mauvaise science, la simplicité de l'instruction sexuelle ont fait tout cela. Un échelon social plus haut, le fils du petit employé, qui fréquente l'école professionnelle, a déjà pris l'âcreté de notre adolescence bourgeoise. Croyez-moi. Il n'y a crise que par le malentendu entre l'être et ce monde ignoré que son désir et sa peur défigurent. Rapprochez-le doucement, ce monde, avec les divinations de la sympathie et de l'intelligence, votre crise passera comme une lettre à la poste.

Or, nous voici arrivés tout naturellement dans une des raisons qui me justifient (je réponds toujours à votre première objection) : on ne dirigera jamais trop de lumière sur une âme, lorsque, à cette heure où la plus dure fait secrètement le signal de détresse, son trouble génie parvient à provoquer un divorce auprès duquel celui des époux paraît dans l'ordre : le divorce entre le garçon et ses parents.

De cela je parle avec une grande indépendance. Je n'ai eu qu'à me louer de mon père, et ma mère, très jeune d'âge, plus jeune encore de nature, me fit libre avec elle comme une sœur. Je n'ai pas là-dessus d'expérience personnelle. Mais j'ai vu et j'ai entendu. Jadis, au collège même, hier, après la publication de ce livre, j'ai reçu quelques confidences. Elles m'assurent dans la conviction qu'en cette matière ce que je devinais obscurément est bien au-dessous de la réalité.

Des hommes me parlent. Ils ont vingt-cinq, trente-cinq, quarante ans. Ils en avaient quatorze le jour où la vie, en ricanant, a levé le masque. La Gorgone ! et ils la croyaient Ange ! Apparition devant laquelle j'ai vu des garçons décomposés comme devant un spectre, du soir au lendemain le sang tourné, avec la fièvre et des vomissements. Mais je m'abuse; vous êtes là-dessus plus savant que moi; il me faudrait, pour vous instruire, vous raconter dans le détail des drames dont ces hommes m'ont fait le récit. Et voici que toujours, lorsqu'ils ont parlé : « Expliquez-moi maintenant, finissent-ils par me dire, comment mon père, ma mère, qui m'aimaient pourtant, n'ont rien vu, rien compris. Mes silences, mes rougeurs, mes larmes qu'à table je ne pouvais retenir, ma porte fermée à clef, mes soudaines plongées au lit sans être malade, tout mon visage à l'âge où le visage change si l'on a seulement *pris la résolution d'être meilleur*, ils n'ont rien aperçu, rien soupçonné dans le fils de leur sang, qui vivait sous leur toit, eux qui lisaient des romans ! qui allaient au théâtre ! Ah ! expliquez-moi cette monstruosité ! » J'ai alors envie de leur répondre : « Vous dites qu'ils vous aimaient. Dites plutôt qu'ils ne vous aimaient pas assez. »

La puberté, on l'a dit, est une seconde naissance. L'avènement de l'âge d'homme en est une troisième. Chacune de ces naissances est aussi une mort. Si vous craignez une équivoque à dire, avec moi, qu'à l'avènement de l'âge d'homme il y a mort de l'âme (on m'a fait cette plaisanterie : « Quoi ! Un catholique ! Parler de la mort de l'âme ! ») dites qu'il y a disparition de l'activité intérieure.

Si vous aviez pris un instantané de la famille, il y a un ou deux ans, quand le garçon était encore enfant, vous auriez vu la mère plongée dans le journal de modes ou les comptes de cuisine, le père dans la cote de la Bourse ou un succédané de la *Vie Parisienne ;* en ce même instant, leur fils, qui les regarde, a dans son cartable César et Tacite; dans la vaste maisonnée, il est le seul à avoir notion qu'il y ait une civilisation de l'esprit. Aujourd'hui, adolescent, la situation est la même, mais au lieu d'un livre dans un cartable, c'est un feu qu'il a dans sa poitrine. Quand le fils se déchire et fait son feu, le père est tout abruti par le ralentissement, l'engourdissement et l'opacité de la vie. La pauvre mère, n'en parlons pas. Il est naturel qu'elle ne comprenne rien à ces histoires de garçons; qu'elle veuille parler, guérir, *nox nocti indicat scientiam*, c'est la nuit qui enseigne à la nuit [1]. La mère, qui aimait l'enfant câlineur, lui en veut de n'être plus assez faible, alors qu'il ne l'a jamais tant été. Le père lui en veut d'être trop faible devant ce qui, aux yeux de cet homme important, ne peut être que des billevesées. Assez souvent une maladresse, une disgrâce physique se sont ajoutées à son empêtrement moral. Mille raisons refroidissent autour de lui une tendresse qui peut-être même va se tourner en aversion. Aimât-on dans le fond quelqu'un, s'il vous agace, impuissant sera l'amour à survivre à des irritations de nerfs. Le fils rendra plus tard au père, en rudoiements parce que le vieillard tousse, les rebuts qu'il a reçus de lui à quinze ans, parce qu'il avait l'air niais.

L'ABBÉ. — Vous parliez tout à l'heure de Jésus. Or, Jésus à sa naissance reçoit l'adoration des mages, à douze ans l'hommage des docteurs. Mais, durant toute son adolescence, personne ne vient plus à lui, il est abandonné, il n'intéresse plus. Et tandis qu'il est adoré aujourd'hui sous les formes parfois les plus singulières, il n'y a ni légende, ni culte, ni simulacres — ou si peu — de Jésus adolescent. A vous entendre, je me demande si l'explication n'en est

1. (La mère)... « Son intervention est souvent plus nuisible que ne l'eût été son abstention complète. » Herbert Spencer. *De l'Éducation.*

pas dans l'incuriosité, le manque de sympathie qu'on aurait pour cet âge.

MOI. — Notre garçon, repoussé, développe son pouvoir de silence; le silence est une des conquêtes de la quatorzième année. Effrayant silence de cet âge, tellement universel, tellement la norme que, lorsque vous verrez côte à côte un garçon et un homme dans la rue, s'ils ne s'adressent pas la parole, il suffit : vous savez que c'est le père et le fils. O mornes promenades du dimanche : le père et la mère et loin d'eux, se traînant, le plus loin possible, comme physiquement répugné par leur vue, leur fils au visage éteint qu'ils abandonnent et qui les a en horreur. Il fait sa vie et les en exclut. Lycéen, il la fait dans le monde extérieur; élève d'un collège religieux, il la fera le plus souvent à l'intérieur du collège même, parce que ce collège a l'âme envahissante. Désormais c'est le collège qui devra contenir, *per fas et nefas*, tout ce qui va naître de lui. C'est pourquoi, dans telle de ces maisons, j'ai vu bien des élèves sangloter à l'arrivée des grandes vacances. C'étaient les mêmes qui pleuraient à la rentrée quand ils avaient dix ans.

Ah! ne disons pas, comme vous le disiez tout à l'heure pour l'âge ingrat, que nous sommes dans une loi de la nature. Lâche refus d'agir, voilà ce que je vois dans ces sortes de « lois »-là. Quoi que j'aie dans le cœur, le mot de *bonté* est un mot que je ne prononce jamais; ce n'est pas pour aimer le voir sur les murs. Eh bien, cependant, quand je passe avenue de la Motte-Picquet devant ce dispensaire qui affiche en grosses lettres : « Soyez bons pour la jeunesse », je songe qu'il suffirait de cette bonté, avec dedans ce qu'il faut d'intelligence pour que tout vaille, et caduque serait votre loi de la nature!

L'ABBÉ. — Une bonté qui guérit en « créant de la crise »! Car c'est cela que vous proposez aux prêtres éducateurs.

C'est le second point sur lequel je voulais vous interroger. Et je ne l'accorde pas du tout avec ce que vous venez de dire d'une crise qui m'a l'air de pouvoir se passer fort bien de cette *création*.

MOI. — Quand vous étiez petit, mon cher abbé, s'il vous était arrivé de vous arracher une peau à la naissance de l'ongle, ce qui pique ferme, d'instinct vous vous pinciez vigoureusement à un centimètre de la petite blessure, jusqu'à ce que cette nouvelle sensation surpassât l'autre; ainsi votre souffrance, ne dépendant plus que de votre volonté, devenait une sorte de jeu et cessait de vous affliger. Comparaison qui n'est pas raison, je m'empresse de le dire. Nous en avons de plus sérieuses pour justifier le fait de créer délibérément, *dans certaines natures*, une crise surnuméraire à la crise de l'adolescence.

L'ABBÉ. — Je suis curieux de ces raisons.

MOI. — Laissez-moi d'abord vous poser une question. Vous, prêtres éducateurs, quel est votre devoir?

L'ABBÉ. — Faire de l'éducation chrétienne.

MOI. — Mais qu'est-ce qu'une éducation chrétienne? Je vais vous dire ma pensée. Je crois que c'est celle qui donne pour toujours, avec la fraîcheur d'émotion devant les formes sensibles du catholicisme, un tact spontané à reconnaître, dans l'extrême complexité du monde, l'acte ou le sentiment qui est selon son génie. Génie tout caché, subtil système de prohibitions et de tolérances — règles absolues et sans appel, règles souffrant l'infraction, infractions à la lettre qui ne le sont pas à l'esprit — l'hérédité et l'amour même ne suffiraient pas à vous découvrir. Il y faut tout un jeu inconscient de réactions et de déclics réflexes, que seule peut créer l'habitude personnelle : une seconde nature autonome, tellement profonde qu'elle se passerait des pratiques, et au besoin se passerait de la foi.

L'Abbé. — Oh! oh!

Moi. — Mon Dieu, oui, je ne crois pas que le don de la foi soit, en fait, un *sine qua non* de l'éducation catholique. Sur dix hommes cultivés, qui ont des réactions catholiques et même sont pratiquants, combien, dans un sentiment pur de bravade, d'honneur, etc... mettraient leur main au feu que la Trinité comporte trois personnes? Ils agissent en tout comme si les dogmes étaient vrais; dans le fond ils n'ont qu'une espérance et — καλος κὶνδυνος — un beau risque. Ces hommes sont le corps du christianisme, ils le soutiennent, ils le propagent, dans une grande mesure ils le vivent, — de bonne foi, sans la foi.

L'Abbé. — Paradoxe!

Moi. — Paradoxe, certes. Boutade? C'est moins sûr. Aussi bien laissons cela, qui n'est ici nullement nécessaire. Mais, cette réserve faite, vous paraît-il que j'ai défini justement le but de l'éducation catholique?

L'Abbé. — Cela me paraît.

Moi. — Voici donc, en face de vous, ce but. Sous vous, une matière vierge, malléable, où tout va marquer et parfois à jamais. Et vous enfin, prêtre, avec tout pouvoir.

L'Abbé. — Si les parents vous entendaient!

Moi. — Eh bien? Ils auraient mis leur fils au lycée, s'il ne fallait que lui faire réciter des leçons. Ils le mettent chez vous pour qu'on exerce sur lui une influence, avec tout ce qu'une influence comporte de risques. Dans le cas où ils le mettent là, comme autre part, simplement pour qu'on ne le voie plus, eux-mêmes conviennent tacitement qu'ils renoncent à tenir leur rôle.

L'Abbé. — Tout en en gardant jalousement les prérogatives. Mais continuez...

Moi. — Quel est le meilleur moyen d'atteindre ce but de l'éducation catholique?

Si vous versez de l'huile sur de l'eau, sans plus faire,

elles ne se mêleront pas. Si vous voulez que l'eau s'imprègne, il faut battre. Si vous voulez que Dieu imprègne les âmes, quand Dieu est là tout autour, dense et délié comme il ne le sera jamais plus, battez les âmes.

Il est bien entendu que je ne vous parle ici que de candidats à la vie raisonnable, et qu'il ne s'agit que de l'éducation des garçons. Il y aurait imprudence à livrer des filles à une vie sensible qui n'aura pas, plus tard, de contrepoids.

L'ABBÉ. — Battre les âmes ! Dites-le donc carrément, vous croyez que Dieu pêche mieux en eau trouble. *Cum infirmor, tunc potens sum.*

MOI. — Vous l'avez dit cent fois : au collège ils doivent vivre leur religion. *Prius vivere,* d'abord vivre ; vous n'êtes pas des boîtes à bachot. Mais n'embrassiez-vous pas complètement ce que contenait ce terrible verbe que vous avanciez là : vivre ? Il ne faut pas qu'ils sortent de vos mains sans que tous leurs mécanismes, sans exception, aient fonctionné catholiquement, de peur que celui que vous aurez laissé inerte, s'il entre en action après vous, ne brouille tout parce qu'il n'aura pas reçu votre inflexion. Ne dites pas qu'un directeur dirige, c'est-à-dire agit uniquement sur ce qui existe déjà ; si vous vouliez ne pas susciter, il faudrait vous faire ombre, ombre immobile, et sourde, et muette, et cette ombre susciterait encore.

L'ABBÉ. — Faire fonctionner un mécanisme avant son heure, c'est exactement de la prématuration. Il n'est pas un éducateur qui ne s'élève contre cela !

MOI. — Comment douter que ne soit un bienfait cette royale avance sur les autres que vous leur donnez en leur apprenant à souffrir ! L'émotion précoce, qui hâte l'éveil de l'intelligence, l'infuse et l'aiguise pour des années. Abréger l'évolution d'un jeune être, c'est raccourcir le ressort qui lance sa vie.

L'ABBÉ. — En matière de don sensible, il me semble que déjà la pompe du culte, nos Fêtes-Dieu...

MOI. — Ah, de grâce, ne croyez pas qu'il suffise d'un souvenir d'encens ou de Fête-Dieu; ce n'est jamais de cela que je parle; on ne se fait pas ouvrir la porte avec un: « Vivent les sensations catholiques! » Il faut que la vie ait été égorgée sur vous, et avoir été couvert de son sang, comme le néophyte dans le taurobole, pour être initié dans le mystère catholique. Pourquoi l'émotion religieuse, comme le constate une statistique célèbre, atteint-elle sa plus grande fréquence chez l'homme pendant la puberté? Le psychologue Stanley Hall répond qu'à partir de douze ans le sentiment religieux croît dans la mesure où croît l'amour; et il établit douze correspondances entre ces deux sentiments. Vous me comprenez? Nous entendons *amour* au second sens de l'*amor* latin, à savoir *passion* en général. Le génie mâle qui apparaît vers la douzième année, avec son trop et son défaut, le monde créé ne suffit pas pour sa faim. Il se dérive en fureur de connaître, il se dérive en goût du sacrifice, il se dérive en tendresses, en rêves de gloire, en fous dons de soi; épuisé le réel, il veut encore et saute chez les ombres; il va à Dieu de toute l'espèce.

O combien j'aime mon Christ dans l'instant qu'il se ressuscite, quand il s'élance comme le désir, quand de sa bouche éclate le chant qui éteint les plus rauques trompettes :

> *Toute puissance m'est donnée*
> *dans le ciel et sur la terre!* [1]

Il dit que toute puissance... Sur la terre! Dans le ciel! Rendons les armes; il nous écrase; on ne lutte pas avec son

---

1. Matth. XXVIII, 18.

orgueil. Mais on peut s'inspirer de sa violence, on peut devenir violents de la violence évangélique. Entendez-vous les voix dans cette plaine, tandis que les passants ricanent : « Potaches... »? Une voix dit : « Je ne suis pas digne, oh non! je ne suis pas digne. » Une voix dit : « J'ai besoin d'avoir confiance en vous. » Une voix dit : « Je voudrais donner ma vie pour toi. » Ces paroles, je les ai entendues jadis. On les dira quand je ne serai plus. Il est dans votre tradition, je dirais presque, si le mot n'était si décrié, il est dans votre politique qu'elles soient dites. Dans toutes ces plaies ouvertes, le dieu qui guette « comme un voleur » met une goutte de son *bonus odor*. Que demain la chair se referme! mais pour toujours ses derniers tissus macèrent dans la catholicité. Vous aussi, pour glisser votre vaccin, il vous faut donner des coups de lancette. N'est-ce rien que d'avoir eu un scrupule? Créez-en avec une prohibition, fût-elle la plus arbitraire. Créez les larmes de l'intelligence. Avec un appât créez la lutte et avec une défaillance le remords. Créez une amitié pour que les prémices du cœur n'aillent pas à la dame du Boul. Mich., et quand cette amitié ne peut plus donner davantage, brisez-la afin qu'elle donne la souffrance, et qu'une fois dans sa vie ce garçon sache ce qu'est une souffrance qui est *offerte*. Créez de la vie pour le Seigneur de la vie plus abondante, et pour eux-mêmes aussi, ces garçons, qui sont guettés par la sécheresse, qui sans cesse devront lutter pour ne pas se déprendre et retourner avec les fils des bêtes. Dénouez toutes ces forces vierges! *Date pueris iras!* Donnez des passions aux enfants pour qu'ils puissent vivre la passion de la religion.

L'ABBÉ. — « La passion de la religion », l'expression choquante!

MOI. — Elle est de Lacordaire : « La religion est une passion de l'humanité. » Et pour mon « créer de la crise », laissez-moi l'abriter derrière le texte d'un grave professeur de philosophie au lycée, docteur ès lettres, peu suspect de littérature lorsqu'il écrit dans une étude fort pondérée [1] : « Peut-être ne serait-il pas excessif d'affirmer que tout adolescent normal *doit* présenter dans sa mentalité un mélange de génie et de folie, et peut-être y a-t-il lieu de craindre pour la vitalité d'un grand garçon trop bien équilibré.— La genèse d'une virilité morale maîtresse d'elle-même implique comme sa principale condition *un appel constant aux virtualités émotives...* »

Et enfin, si vous restez dans votre première objection, si vous pensez que ce qui naît de cet âge est sans grande importance et *s'arrangera toujours*, si vous avez dit quelquefois à l'un de vos élèves : « Vous sourirez de tout cela à vingt ans », alors je vous dirai : raison de plus pour qu'ils fassent l'essai de ce qu'ils sont — essai nécessaire à la formation de leur caractère — dans un temps où leur désordre éventuel ne troublera qu'une classe ou une division de collège au lieu de troubler toute une société; c'est ainsi que vous donnez un vieux cuir à votre chiot, à la fois pour qu'il se fasse les dents, et pour qu'il ne se les fasse pas sur vos carpettes.

L'ABBÉ. — Mon cher ami, tout cela peut être parfait dans certains cas exceptionnels, mais dans la pratique courante, combien dangereux ! Pour un prêtre qui aura la clairvoyance et la fermeté nécessaires, combien d'autres, excellents sans doute, mais épais ou maladroits, nous feront des cataclysmes ! Quelle nuancée, prudente audace il faudrait ! Quelle sûreté de main et de cœur ! Souvenez-vous de Hello, disant à peu près : « Ne doit entreprendre une opération que celui qui est sûr de ne pas s'évanouir. »

1. *L'âme de l'adolescent*, par P. Mendousse, Bibliothèque de philosophie contemporaine, chez Alcan.

MOI. — Deux préfets de division seulement par collège, celui de la première et celui de la seconde divisions, auraient parfois cette tâche à remplir. Est-il impossible de trouver deux hommes de taille pour chacun de vos principaux collèges? Si oui, ceux qui occuperont ces postes pourront bien se garder d'intervenir; votre collège aura peut-être *un esprit*, il n'aura pas d'âme. Et malheur aux collèges catholiques sans âme! J'aimerais mieux pour mon fils l'école des faunes.

Un des garçons s'approche. Le maillot bleu ardoise, aux poignets et au col capucine, frissonne sur lui comme l'oriflamme dans le haut vent prestigieux.

Regardez-le, ce garçon. Quelle merveille que cette suprême fleur, française, catholique et romaine! Essoufflé, avec ce beau regard, le sang rapide sous la peau brune, et déjà ses épaules droites, il est toute force et toute grâce; c'est peu dire, il est toute intelligence et toute noblesse. C'est un exemplaire accompli. L'avenir qu'il porte en lui est amoindri par une telle perfection. Je vous admire de lui mettre la main sur l'épaule! Moi, je n'oserais pas le toucher. Je le respecte et il me fait peur. Assis dans le métro, lui debout, je me lèverais pour lui donner ma place. (*Le garçon s'éloigne.*) Il a souri! Gloire au miracle! Une âme est sortie de son sourire. O mon cher abbé, cette âme est en désir dans chacun des garçons de notre race : elle n'aura l'être que si vous le lui donnez, et on donne l'être du fond d'un combat. Avec un recul de dix années, je proclame que la mienne n'exista que du jour où un de vos collèges l'eut façonnée par les plus durs tourments. Car s'il vous est venu à l'esprit qu'il y a démesure dans ma *Gloire du Collège*, dites-vous bien que ce chant est une fadaise en regard des réalités qui l'inspirèrent. Celui-là ne se croyait pas si précis qui m'écrivait de la *Relève du Matin* : « Vous avez fait de tout cela un buisson ardent. »

Oui, un buisson ardent, c'est-à-dire l'apparition de Dieu. Mais Dieu *au milieu des flammes.*

Insensiblement, le jour donne lieu à la nuit. On voit briller de petites flaques, bleuâtres, comme des morceaux du ciel cassé. L'odeur de l'herbe humide et de la boue se fait plus drue. La lumière du couchant héroïse les êtres. Depuis le clair de l'or jusqu'au sombre hâle brun de brique, les visages portent toutes les couleurs du feu.

Voici le soir, voici la grande nuit fraîche, la nuit au grand corps, ardente de fraîcheur. Vous rentrerez dans la nuit faite ; tous les réverbères seront allumés. Allons, rompez ces jeux. Dites que c'est l'heure. Donnez ce coup de sifflet qui perce encore mon passé comme un cri... (*A soi-même, pendant que l'abbé fait cesser les jeux.*) Calme était mon cœur quand je vins, sous les grands arbres, auprès de mon chien aux dents blanches. Depuis longtemps ma lèvre était serrée sur l'immobilité de ce cœur rigoureux, si fort qu'une petite plaie lui était venue, qui jamais ne put se faire cicatrice. Et voici qu'au fond de moi-même un visage s'est rouvert, auquel j'avais fermé les yeux. Il s'est rouvert, il m'a souri, il m'a fait lourd comme l'éponge pleine. Et j'ai eu froid, et ma lèvre a tremblé. O ma faim ! ô ma soif ! Jusqu'au dernier jour, jusqu'au dernier jour. Et que vous me soyez douces encore, dans les ténèbres.

L'ABBÉ, *revenant.* — Ils vont changer de vêtements dans la maison de la Pompe à feu...

On entend les roulements de tambour des jeunes soldats du Mont Valérien, qui s'exercent sur les berges du fleuve.

MOI. — J'en vois un, là-bas, dans la poussière violette, vers Suresnes. Tandis que tous les autres se rassemblent, lui, il s'écarte toujours de plus en plus. Seul, ivre du soir, de l'angoisse du crépuscule, il court après le ballon de toutes ses forces, et quand il l'a rattrapé il l'envoie plus loin, et le poursuit encore, comme condamné à un supplice fabuleux qui l'empêche de plus jamais s'arrêter, comme pris d'une démence divine. Jusqu'où ira-t-il? Est-ce qu'il est protégé? Je prierais pour lui si j'étais son père.

L'ABBÉ. — On ne le voit plus.

MOI. — J'en vois deux qui portent un poteau de but qu'ils ont enlevé, l'un à un bout et l'autre à l'autre bout. Je ne vois que leurs ombres. Ils marchent au même pas, pesamment. Ils ont l'air de brancardiers.

L'abbé ne dit rien.

MOI. — J'en vois encore, là-bas. Quelles petites taches dans cette étendue! De si loin, on ne croirait pas qu'ils ont des âmes. J'en vois qui s'enfoncent sous bois, à la file indienne. Pourquoi sont-ils penchés comme cela en avant? On croirait qu'ils ont le sac au dos.

Encore un silence. Les divisions d'un des collèges s'ébranlent.

L'ABBÉ, *à voix basse.* — Vous aussi, alors, vous y aviez songé, qu'un jour, dans quelques années...

MOI. — J'y songe sans cesse.

L'ABBÉ. — C'est affreux!

MOI. — Soyons tous forts.

Ils regardent encore un petit temps.

L'ABBÉ. — Allons, mon cher ami, au revoir.

MOI. — Au revoir. Ne les laissez pas avoir froid.

Dans l'ombre, à mesure qu'elles arrivent sur la route, les divisions en marche se mettent au pas cadencé.

Octobre 1921.

EN MÉMOIRE D'UN MORT DE DIX-NEUF ANS

DE QUI JE JOINS LES MAINS SUR CE LIVRE

Je m'excuse : il y a certainement quelque chose de provocant à vouloir disputer à l'ombre un mort qui est mort depuis deux années. Deux années ! « Ce retard ! » Ramsès dans ses bandelettes de nard, Mausole couché dans le porphyre ne sont pas plus profond sous l'oubli que ne le sont ces jeunes morts de la guerre. N'ayant fait de mal à personne, ils n'ont pris place dans aucune vie. Une quinzaine de tristesse permet à leurs proches de se sentir grands ; c'est pour la famille une garantie d'honorabilité, une petite victoire un peu analogue à s'ils fussent, par exemple, entrés dans la « carrière » ; puis la cérémonie donne aux gens une occasion de se rencontrer, occasions si rares de nos jours [1]. Six mois passés, un homme poli

---

1. On voudra bien se souvenir que les essais qui composent ce livre ont été, sans exception, écrits pendant la guerre de 1914-1918.

se gardera de toute allusion au cher disparu. Madame aurait un petit froncement de sourcils, dans l'effort pour se souvenir. Elle est très courageuse.

Mais nous, au moins, leurs pairs, puisqu'il n'y eut que nous à les connaître? Eh bien, j'ignore ce qu'est le cœur des inconstants, mais je sais ce que nous appelons être fidèles : c'est nous rappeler, quand nous disons une parole d'attachement, tous ceux à qui déjà nous l'avons dite dans les mêmes termes. On n'apprend l'existence d'un être que par celui qui le remplace. Encore vient-il une heure où l'on songe que, décidément, ces morts, on a toujours tendance à s'exagérer leurs mérites, l'amour qu'ils vous portèrent et qu'on leur porte, et où l'on se demande si, en toute franchise, ils ont compté tant que cela pour vous.

Vaines questions, plus vaines réponses. Nous ne savons rien de ces morts. Un instant le faible visage apparaît sur le bord de l'ombre. Me fait-il signe? Et quel signe? Je ne lis rien dans son regard. Nous ne savons ni ce qu'ils pensent de nous, ni ce qu'ils veulent de nous, ni jusqu'à quel point ils acceptèrent le sacrifice, ni ce que c'est exactement qu'accepter, ni quelle fut leur vérité profonde sous l'air léger et les mots à panache qui à si peu de frais nous tranquillisaient, ni si, aux arrêts d'outre-tombe, la mort par fait de guerre entraîne d'office une atténuation de peines, ni si l'honneur, le courage, le goût du risque, que nulle religion n'inscrit dans ses Tables, ne sont pas aussi dénués de valeur surnaturelle que l'est l'intelligence, par exemple, ou l'ambition. Et puis l'ombre les reprend, ils s'effacent. Quelquefois, nous les sentons vaguement autour de nous, comme, dans les temps antiques, ces corps sans sépulture qui revenaient errer au ras de la terre. Sur la génération qui monte volettent ces Lares confus.

***

Je conserve, parmi des photos et des lettres, une petite feuille froissée, un petit papier de rien du tout, mais qui, dans le tiroir, quand la nuit tombe, doit répandre une sorte de lumière : un de ces billets de confession en usage dans les collèges catholiques, et qui portent imprimée la formule : *L'élève... désire se confesser à M...*, avec des blancs pour les deux noms. Et dans le premier de ces blancs un être qui aima, souffrit, s'agita, a inscrit son nom, qui plus jamais ne sera mêlé aux affaires de la terre; et dans le second blanc il a tracé le mien.

Nous avons vécu sur les bancs des classes (je sens cette odeur de bois et d'encre...) des heures qui eussent créé des liens indestructibles, s'il existait quelque chose de pareil à des liens indestructibles; nous y avons fait la pratique de toute la psychologie et de toute la morale dans le même temps qu'on nous en enseignait la théorie, comme nous faisions de front la théorie et la pratique de la physique et de la chimie; à seize ans, gauches et avec des boutons, nous savions qu'il y avait des régions de nous-mêmes qui étaient épuisées et ne refleuriraient plus. Et cependant, au moment de graver un nom sur cette pierre tombale, je recule. Je crains de me tromper et de le tromper.

Sans doute, c'est une industrie aujourd'hui florissante, que chacun vous empoigne son mort (inconnu de tous), le découpe à sa façon, s'y taille un joli succès littéraire : la plupart des études nécrologiques pourraient s'intituler : « Fantaisie sur un tel ». Mais quand je crains de rien affirmer de l'âme la plus claire, quelle sera ma réserve devant celle-ci ! Tous nos contacts portent ce même cachet d'incertitude qui marqua notre dernière poignée de mains : serrement où l'une des deux pressions fut plus forte que l'autre, mais sans que je pusse distinguer de qui elle venait. Je ne suis pas sûr que notre amitié ait existé; je n'en ai su qu'un certain cerne, qui tremblait à ses bords, et qui n'était pas elle : il y a dans les photos prises d'avion des installations camouflées qu'on ne connaît que par leurs ombres. Autour de chaque acte précis, de chaque mot précis que je sais de cet être, un vide se creuse où l'imagination va et va sans rencontrer rien de fixé qui l'endigue, comme dans ces œuvres d'art qui nous prennent d'autant plus que nous devons nous mettre davantage dans ce qui leur manque. C'est un espace où tous les retentissements qu'il fit dans ma vie résonnent plus mystérieux et plus longs; une marge blanche où l'Ange du Doute, penché sur mon épaule et sa tempe contre ma tempe, finit mes phrases en lettres d'or.

Chaque fois que je songe à ce que dut être cette âme et cherche à la serrer de plus près, la même image renaît dans mes yeux : celle d'une chambre où, par un grand soleil, une main violente, vingt fois coup sur coup, écarte puis referme les rideaux. Nuit et clartés, battements de paupières, fusées qui s'élancent, se brisent... Le voici, par ce doux hiver qui à chaque octobre me remonte dans le cœur. Il m'a attendu à la porte; il a besoin de me parler de lui. Quelle plongée loin de la surface des choses dans ce libre « entre deux eaux » spirituel où toutes nos facultés se dégourdissent, se font légères, jouent réellement comme dans de l'eau! Pour moi c'est ma folie des âmes, cette excitation devant une âme, telle que l'excitation d'un fox qui flaire un rat. Mais chez lui nul intérêt que pour soi-même (et combien j'aime que son regard soudain se soit éclairé, ses paroles soudain acharnées, sitôt que l'entretien le ramenait à ses propres affaires!), nul art pour l'art et jusqu'à une gaucherie enfantine dans l'expression : l'idole du *Banquet* qui s'ouvre à deux battants et montre les « sacrés trésors de son intérieur ». Et puis tout d'un coup on entend claquer le pont-levis qui se relève. Il est là, offensant et obtus, ricanant, avec une volonté de ne pas comprendre et de ne pas arrêter, avec une façon maudite de foncer dans les choses les plus saintes et de les saccager, terrible comme un homme à qui l'on vient de révéler son secret, le prenant pour un autre dans l'ombre, et qui soudain vous glace sous le réverbère...

C'est dans la seconde de ce brutal changement de ton que devrait le saisir un photographe d'âmes, parce que c'est là qu'apparaît le caractère essentiel de sa nature : un cœur exalté aux prises avec une raison ombrageuse. C'était un « Allez, hop ! », un brusque rejet de toutes les choses trop dévorantes, ce même geste de tout rompre, cette même saccade de la tête que je lui vis à notre dernière rencontre, quand, après une brève discussion avec un chauffeur, il lui poussa l'argent dans la main : « Oh ! et puis gardez ! » Pudeur de soi-même, regret de s'être découvert, sentiment instinctif de l'homme, subsistant sous tous les démentis individuels, que les affaires intérieures sont toujours un peu des niaiseries, mais surtout bouffée de vertige au bord de ce grand vague où bouge l'âme et d'où montent ses musiques : vertige et un recul vibrant de l'être. Et il me semble que tout cela se lit jusque dans ce billet de lui sous mes yeux : au milieu du texte le plus banal, la seule phrase où il se livre et vraiment s'exprime est d'une écriture soudain si rapide, si illisible, que je crois le voir qui tressaille devant le signe écrit de ses profondeurs, puis bâcle ce griffonnage informe, à la fois par hâte d'en finir, pour bien montrer le peu d'importance qu'a tout cela, et pour que, même par ce moyen puéril, sa vérité demeure quelques instants de plus moins accessible. Ainsi plusieurs se souviennent de cette façon qu'il avait de *marmonner*, en baissant la voix et les yeux, lorsqu'une parole lui échappait qui était trop dense de lui-même.

Nous usions fréquemment du latin, afin que nos professeurs ne nous comprissent pas. Je l'ai surtout appelé Marcus, et cette atténuation lui convient mieux que Marc, dur nom que justifient sa fierté et sa solitude, mais qui sonne avec plus de force que n'en eut ce cœur brouillé. On m'a rapporté de lui, après sa mort, qu'il écrivait dans des notes intimes : « Moi qui suis un passionné, il faut que j'aie l'air... » Je n'ai plus exacts dans la mémoire les derniers mots, mais il suffit : nous sentons le tremblement, nous devinons tout le drame, et nous saluons avec un grand coup de chapeau ces pieuses biographies mortuaires où il est pleinement rendu hommage à son goût pour les sciences mathématiques. Toutefois, dans une de ces chroniques *pour prendre congé*, je découvre une petite phrase qui, sous des apparences de formule toute faite, contient un jugement pénétrant : « La mort l'effrayait moins que les tentations de la vie. » Ne l'entendez-vous pas, après un moment, faire l'accord avec son cri douloureux? Oui, c'est toujours le même sursaut devant ce dont il ne se sent plus maître; dans cette nature frémissante et tumultueuse, fleur suprême d'une race de forts, une hérédité de sagesse veille toujours, inébranlable, et bloque les freins quand l'adolescent emporté s'élance aux appels de son génie. Tous mes souvenirs de lui portent ce trait, et c'est ce trait qui est le nœud de tout. C'est par lui que ce garçon, qui souffrait, n'était pas de ceux devant qui l'on peut souffrir; c'est par lui qu'avec des dehors presque ingénus, il est demeuré un texte à contresens; qu'avec une droiture certaine il agissait parfois comme s'il eût été double; qu'avec un cœur ardent et tendre il ne put jamais conduire au bout sans accroc que celles-là de ses amitiés où il avait mis le moins de soi-même.

En effet, de même que l'idée de péché, prenant sa pleine valeur dans une telle nature, devait y lever mille résonances, y devenir le ressort d'un innombrable pathétique, ainsi arriva-t-il que ce déclic de sûreté, loin d'apaiser sa vie, y provoqua un plus intense mouvement d'âme, un échange sans repos d'*animulæ :* mystérieux va-et-vient dans ce *no man's land* où les plus secrets esprits des êtres frôlent, fécondent, réagissent, détruisent, meurent, transforment, et d'où, lorsqu'on se penche, on entend monter et descendre le silence ou le chant de nos destinées.

De ses rapports avec ceux qui l'aimèrent je puis donner les nôtres comme exemple. Extraordinaire création ! On maltraiterait fort le romancier qui écrirait sans retouches ce qui se passe dans des âmes de très jeunes gens. Quelle inconséquence ! Quelle invraisemblance ! Chaque sentiment joue pour soi, ne sait rien des autres ; tout d'un coup il mue, devient le contraire de ce qu'il était, et à cela, exactement, *il n'y a pas de cause :* je songe à ces absurdes chats, quand ils jouent dans les fins de jours sur les pelouses de l'été, à leurs courses qui s'arrêtent net, leurs fureurs qui tournent en dédain, leurs disputes sans suite, leurs effarements sans objet, leurs brusques indifférences, pour dire bref, leur folie. Entre nous deux, c'étaient moins des alternatives d'amitié et d'hostilité qu'une combinaison d'amitié et d'hostilité. Manifestement attirés l'un vers l'autre, curieux l'un de l'autre, sitôt face à face chacun se mettait en garde. Nul abandon : avoir confiance que le pli ouvert ne sera pas lu s'il ne doit pas l'être, mais non que toute parole ou toute action de vous sera accueillie avec un désir grave de la comprendre. Au surplus, si nous avions tous deux de la facilité à meurtrir, à cause de notre loyauté, lui, par surcroît, se vengeait de son cœur sur ceux des autres : ainsi se prouvait-il à soi-même qu'il n'était pas faible devant eux. De divers côtés on m'avertissait : « Prends garde à... Ah, en voilà un qui ne t'aime pas ! » Je lui répétais ces propos. Il riait, ne répondait pas, mais me citait quelque louange qu'il avait entendu faire de moi... Doutes, débats, blessures, ruptures, méprises, reprises... A présent mes chers amis peuvent me passer des aiguilles à travers la peau; je n'arrive plus à trouver que cela me fait mal. Ce sont vraiment des amitiés pour la vie.

La dernière parole qu'il m'ait destinée — les derniers mots de sa dernière lettre — est celle-ci : « Tu sais que j'ai beaucoup d'amitié pour toi. » Il dit cela puis disparaît, se dissipe comme un petit souffle, et je reste avec sur mes genoux cette tête d'Hermès au double visage, où je lis, selon que je la tourne, ou tout le bien ou tout le mal. Nulle jeune fraternité ne pourrait rendre un son plus beau que celle qui s'exprimerait dans cette phrase, simple jusqu'à la nudité, calme et forte comme une figure grecque dans la pierre. Mais ne puis-je aussi bien la comprendre comme un camouflet, petite incidente où il faut qu'il affirme son amitié, parce qu'il n'en existe d'autre preuve que celle-là, et dont le « Tu sais que » a trop clairement le sens de : « Évidemment, tu ne peux savoir que... » Les morts laissent autant de mystère qu'ils en emportent. Un corps tombe, et mille choses s'arrêtent, éternellement en suspens. Ce sont des squelettes qui tendent les bras. Pour frapper, supplier, ou étreindre?

Car il est mort. A l'heure où ces souvenirs roulent dans ma poitrine, j'entends derrière moi le canon, coup sur coup et à temps inégaux, comme le grand cœur détraqué du monde; je vois couler à mes pieds la rivière qui ne se doute de rien, si vite, si vite (vers quels bonheurs promis vont ces rivières qui coulent si vite ?) ; et quand je me dis : «Jamais il ne verra une rivière couler comme ceci », il est soudain beaucoup plus mort qu'avant. Il est mort et parfois on croirait que dans sa façon de brûler les choses, de ne pas s'arrêter, il y avait comme un pressentiment de sa fin. Mais non, et nul besoin d'exagérer ce quelque chose de *reckless* qu'eurent toujours ses impulsions. Tous ces garçons vous déchirent bien plus, leur main dans la main de l'Espérance.

J'imagine que mon camarade, dès l'instant qu'il eut mis le pied sur cette bande de terre inspirée qu'on nomme le front, dut lire sa sentence dans le ciel; on est « là-haut », on s'en rapproche. Il vit son sort s'incliner, ses dieux protecteurs, sans défense devant le destin, se détourner d'un cadavre vivant, et les deux grandes mains qui le couvraient, se retirant comme un velum qui s'ouvre, le laisser nu au péril de l'espace. Alors il n'eut que son geste habituel quand pour rompre avec la vie il dit : « Allez, c'est décidé ! », puis se dressa sur le champ vide, fit trois pas et s'abattit. Un mois seulement depuis son arrivée au front, et déjà on le citait au Corps d'Armée. C'était à l'orée d'octobre, quand vers les premières lampes penchent les jeunes fronts casqués de pensée, quand aux portes des collèges, et sous les nuages légers de l'automne, se renouent les mains fraternelles. Lui aussi il retrouvait ses pairs.

Il arrive que les institutions humaines, quand s'y insèrent des personnalités un peu fortes, finissent par prendre elles-mêmes le caractère tragique des créatures, avec leurs passions et leurs crises, leurs printemps et leurs hivers, leur frémissement, leur lutte contre la mort. Durant près d'une année, ce collège où nous nous connûmes atteignit à une qualité supérieure d'existence. Rarement vit-on, sur un terrain si peu préparé, des êtres avec plus d'élan s'oublier les uns pour les autres, de plus profondes et désintéressées prières pour garantir à des vivants les sûretés éternelles, des idées si nettes du bien et du mal dans un sentiment si chaud du devoir, une telle surenchère de sacrifices, une telle ivresse de générosité. Ce fut une brusque galvanisation qui, les arrachant à leurs atavismes et à leurs ambiances, dressa ces adolescents au-dessus des leurs et d'eux-mêmes : celui-ci, presque vulgaire, soudain capable de faire quelque figure, celui-là, tout désordre, émouvant de chic moral et travaillé par d'obscurs héroïsmes. Puis l'esprit cessa de souffler; la médiocrité, roulant ses eaux tièdes, recouvrit les terres apaisées où s'éteignaient les buissons ardents. Les uns furent expédiés dans ces enfers qu'on appelle « fours » par euphémisme; d'autres, avec d'ignobles rires, filèrent vers les Boulevards et Montmartre; il n'y en eut que deux ou trois qui, se frottant les yeux, se réveillèrent de leurs vertus comme d'un rêve divin. Ils regardèrent mais ne reconnurent pas. Ils parlèrent mais ne purent se faire entendre. Ils se tournèrent et virent de toutes parts la lande aride où commençait leur exil. Alors ces enfants de dix-sept ans comprirent ce que c'était que le passé, et ils enfermèrent dans leur cœur, pour jusqu'à la mort, le souvenir de cette époque où ils avaient vu, entre les quatre murs d'une boîte à potaches, descendre sur la terre le royaume des âmes.

Toutefois, ce qui donne à ce tumulte sa pleine mesure de pathétique, c'est que ceux qui étaient placés là pour le comprendre ne surent ni le comprendre, ni le justifier, ni le mettre en œuvre. Rien ne fut aidé, rien employé. On vit rouler dans la poussière tous les diamants du diadème, et les frêles sources palpiter puis sécher, où étaient peut-être tous les fleuves de l'avenir. Et c'est pourquoi, lorsqu'on se penche sur le trou d'ombre où s'enfoncent ces années, on entend un long sanglot déchirant se mêler à une musique qui s'éloigne : suprême symphonie de jeunes âmes qui déjà s'en retournaient vers les ténèbres, merveilleusement vaine et perdue comme cet hymne qui, du *Titanic* en flammes, monta par la mer déserte et la nuit.

De se sentir si peu pris au sérieux, de savoir que, parmi toutes les interprétations possibles de ses actes, ce serait toujours la plus bornée qui prévaudrait, de rentrer huit soirs sur dix en vaincu, celui dont je parle souffrit-il beaucoup? Peut-être est-ce une mauvaise action que ce seul doute, mais le fait demeure qu'il ne me dit jamais s'il préférait qu'on le jugeât mal, ou qu'on ne le jugeât pas du tout. De son fameux geste, il « balançait » la chose : ses *désintérêts* me remplissaient de silence. Il me parut aussi qu'il était de ceux qui se passent plus facilement d'être aimés que d'aimer eux-mêmes, et c'est par ceux qu'on aime surtout qu'on est soutenu. Enfin, si inégal, n'eût-il pas lui-même (car je crois qu'à mon exemple il n'aimait guère ceux qu'il n'aimait pas) n'eût-il pas « laissé tomber » des âmes, comme chacun de nous si allégrement l'a fait? Nous vivons à nous ignorer l'un l'autre; nous passons notre temps à faire ceux qui n'ont rien entendu; nous escortons chaque être de nos refus répétés de nous arrêter sur lui; il n'est pas un homme sur son lit de mort qui n'ait été jusqu'à un certain point méconnu... — Et voici que, dans le moment où j'achève ces lignes, je reçois mes notes d'alors qu'on m'envoie, j'ouvre, je parcours, j'arrive à cette phrase que me dit sa mère : « Il avait la manie de croire que personne ne l'aimait... » Ah, phrase atroce, et je l'avais oubliée, et j'écrivais cette page de trahison! Mais il n'y a plus de mystère, tout est aveuglant de clarté; moi aussi je me défiais du romanesque et encore une fois c'est le romanesque qui était le vrai : la moitié de sa misère n'a existé que par un malentendu qu'une faiblesse d'une seconde eût dissipé... Hélas, pourquoi savoir, maintenant!

Mais quel souvenir, après cela, que celui de ce soir où il me dit, d'une voix plus basse, après un silence plus long, comme pour une chose qu'on viendrait de découvrir avec horreur (tout le jour la vie avait brûlé) :

— Écoute, je crois qu'ils s'en fichent...

— Oui, répondis-je, maintenant je le crois, moi aussi.

Mots sanglants, parce qu'ils étaient très calmes, très graves, vraiment montés de nos régions les plus profondes comme l'expression d'une certitude qui s'impose à vous presque malgré vous, et parce qu'on ne peut pas savoir combien nous en souffrions.

Car nous étions des enfants, et de là toute la méprise : nous prenions à la lettre le catéchisme; nous croyions que les gens ont des âmes. Eh bien, ce fond de christianisme est tenace! Il n'y a pas si longtemps, j'osais dire de mon camarade, dans le salon de quelqu'un qui lui fut proche : « Il avait une façon de rompre les chiens si douloureuse... » Peu s'en fallut qu'on ne me mît dehors. Comme les simples lorsqu'on parle une langue étrangère en leur présence, ces gens de bonne société, ne comprenant rien à ma phrase, étaient persuadés que je me moquais d'eux... Mais j'abrège cette choquante digression.

Quelle fut son attitude, quand la mort lui apparut sous le ciel? Entendit-il sa voix d'Archange étouffer les tendres voix de la vie, déjà distantes et embuées comme jadis, derrière leur voile d'eau, ces filles du Rhin dont il aimait le chant? O larmes du commandant Madelin, quand Paul Drouot le vit ramener sur le brancard! O larmes de ce garçon, mon cousin, quand, blessé deux fois, il repartait pour la troisième et dernière fois, et que sa mère vit des larmes dans ses yeux! Ah, quelle paix et quel bien faudra-t-il au monde pour compenser ces larmes d'enfants et ces larmes d'hommes! Elles font en vous quelque chose qui crève, se déchire, une fibre qui casse... La sueur de sang du Christ ne tomba pas plus lourde sur la conscience humaine.

J'ignore le détail de sa mort. Je n'ai pas vu sa tombe, pas vu la croix et la couronne qu'il repoussera de ses mains fortes quand il se dressera pour la Résurrection. J'imagine seulement que soudain, couché sur le sol maternel, il dut apparaître beau, mutilé comme les temples et les statues, lointain comme l'horizon et les astres. Ses compagnons chancelèrent un peu en le soulevant. Il s'était beaucoup forcé pour se taire : ce sont les mots qu'ils n'ont pas dits qui font si lourds les morts dans leurs cercueils.

En partant il écrivait : « Cela m'est égal de mourir. Je n'ai jamais rien fait de mal. » Quel témoignage, cette phrase si simple, avec son expression d'enfant : faire le mal! Quel poids dans cette bouche qu'avaient tentée les plus pourpres fruits! Avec une immense ferveur je me penche sur ce balbutiement; j'écoute cette respiration qui s'en retourne dans le sein de la terre. Mais avions-nous besoin qu'il se justifiât? Quand rien de ce qui est généreux ne vous fut étranger; quand nulle parole de cristal prononcée à travers les siècles ne tomba sur votre cœur sans y fleurir en ondes infinies; quand l'être entier ne fut qu'une seule aspiration à s'élever et s'élever toujours dans un sentiment plus exaltant de soi-même vers le plus haut développement humain, à envahir toujours davantage dans la pensée et dans la connaissance, dans le bien et dans le beau, dans le rêve et dans l'action, à prendre tout ce qui émerge par l'histoire et par le monde pour le ressusciter dans sa propre destinée devenue un exemple et un signe; quand ce fut votre folie, votre vautour rongeur de toutes les minutes, de chercher à dépasser et les autres et soi-même, avec l'idée que peu importe ce qu'on fait pourvu que cela soit grand, et que peu importe si l'on échoue parce que, échecs et triomphes, cela se vaut, — que font alors les imperfections et les tâtonnements, les erreurs inséparables de l'action, la matière aujourd'hui transmuée et perdue qu'on jeta dans la fournaise pour en tirer la statue de sa fortune? Un fond d'une telle noblesse n'engendre pas seulement une présomption de noblesse pour tout le reste : c'est une rédemption en bloc pour tout le reste. Dans le ciel où *il est plus d'une demeure*, Dieu prend ces âmes, pleines d'éclairs et d'éclaboussements, il prend « ces souffles et ces flammes » et il les place à sa droite incendiée. *Satiabor cum apparuerit gloria tua. Satiabor!* Quel repos!

« Quel repos »... Et pourtant, ces pages mêmes, ne sont-ce pas des amarres que je lance pour m'accrocher à la rive? Essayer une phrase, peser un mot, repousser le temps et ses cendres et mettre à nu le cœur de braise du passé, remuer cette matière palpitante, ce moi qui si terriblement *existe :* il y a là une affirmation de vie, quelque chose qui lève en vous un absurde sentiment d'intangible et de définitif, et les images de la mort heurtent contre vous et tombent à vos pieds, comme les mouettes au pied des phares. Ainsi l'on se sent plus tranquille sous les marmites à cause d'une planche d'un demi-doigt d'épaisseur au-dessus de sa tête; ainsi l'on « vainc l'aiguillon de la mort » rien qu'à songer à toutes les choses charmantes qui vivront toujours. La main déjà blanche prend sur le drap la main fidèle et s'y cramponne quand tout s'enfonce, elle qui se retirait si vite dans la vie...

Mais, plus profondément, sentons-nous quel appel est enclos dans ces milliers de feuillets qui s'envolent du front vers l'arrière? Nous lisons des yeux, cherchons la signature, passons; nous ne savons pas ce que veulent dire les mots, quand sur les confins de la vie et de la mort, et comme des fleurs au bord d'un gouffre, ils frissonnent dans le vent de l'éternité. Ah! ne les voyez-vous pas, ces vivants, quand à la hâte, dans leur bien intérieur, ils choisissent une pensée, une image, une parole, un silence, la plus légère buée d'âme, le plus fugace battement d'aile de la beauté sur le visage de la douleur ou de la joie, la seconde où un reflet divin aborda sur des lèvres ou dans des yeux, — et ils l'arrachent au néant qui les guette, le reversent dans la vie qui le leur donna... Quel étirement vers l'avenir! Quel jet de racines dans ce qui dure plus qu'eux! Ils meurent et il faut encore qu'ils espèrent. Ils croient que cette pensée, cette parole, cette image, si elle descend dans un cœur, c'est quelques années ou quelques jours de plus avant qu'il en soit d'eux comme s'ils n'avaient jamais existé. Tacite raconte que le phénix, lorsqu'il sent ses années révolues, construit un nid qu'il féconde, afin qu'il lui reste un fils pour emporter sa dépouille misérable et la brûler sur l'Autel du Soleil.

Mai 1918.
360e d'Infanterie, dans les Vosges.

LA GLOIRE DU COLLÈGE [1]

A la génération qui est morte,
n'ayant que des souvenirs de
collège.

I

LA petite chambre était au faîte du Collège. Par la fenêtre ouverte, André regarda.

Trois villes s'étageaient l'une sur l'autre, selon le gré de la perspective, déroulées comme les trois Églises dans les fresques. D'ici, les feuillages des platanes, qu'on dominait, pleins des luttes du soleil, faisaient de celle du bas un tumulte de verdure; les gestes des enfants, pris entre deux branches, étaient des gestes inachevés; la vie qui bruissait là-dessous, avec ce murmure égal, oh, si discret et sage, était une vie que l'on ne voyait pas; brutalement vous était figuré que le cœur d'un collège est un cœur inconnaissable. Mais plus loin, vers la gauche, où la piste palestrite fait une dure rivière d'ivoire, les jardins secrets et chauds se reculaient

1. Voir la note IV.

comme un appel, les jardins doux avec leur odeur d'ombre, la maison rose avec sa proue de verre, les vertes pelouses balancées, les profonds golfes de paix et d'eau. Et la vraie ville s'étirait au-dessus de la ville scolaire, le monstre accroupi, impur et miroitant comme un dragon, tourmenté de laids désirs et de mauvaises fièvres, agacé par sa chaleur. Et plus haut encore était le ciel de grâce, le même où les anges avaient dit : « Paix aux hommes de bonne volonté », immense, sans une tache, bleu à ne savoir que faire pour lui en montrer sa gratitude. Et dans ce ciel une blancheur, la basilique sur le Mont des Martyrs, toute blanche avec son campanile et son dôme, le cri et la pensée, la vierge folle et la vierge sage, éclatante au front de la ville comme la flamme au front des Trônes.

De même que je ne vois qu'une face de la tête d'Hermès entre mes mains couchées, mais elles, par-dessous, en palpent une seconde non pareille, ainsi, penché sur son collège, André voit des garçons qui jouent avec une balle, qui vont réciter des leçons à l'heure dite, aller au Salut à l'heure dite. Voilà tout ce qu'il voit; pourtant un drame l'enveloppe. Tout alentour a une valeur occulte. Dans ce soleil, il y a des choses qui naissent, luttent, tombent; il y a des mots et des silences, des cris qui ne sont que des cris et d'autres qui sont des appels; d'autres qui sont des agonies. Parfois il frissonne, averti qu'une de ces âmes vient de mourir, quelque part. Et pourtant, — ô grand mystère collégien, viviers où dans l'obscur grouillement se reflètent les myrtes de Virgile, — pourtant de tout cela un calme immense émane. Cette serre, c'est un sous-bois de sources; cette rafale, elle reste immobile, comme si deux courants en se heurtant s'annulaient, immobile et tremblante comme la vibration de la lumière. Et nulle des plus pures vasques où le jeune homme se souvienne d'avoir bu, lui qui a désiré tout ce qui est désirable, et beaucoup de ce qui n'est pas désirable, nulle, ni la sieste sous les tamaris, ni le patio des fontaines et des jeunes filles, ni l'août ingénieux dans la barque et devant les violons, ni le roulement nocturne dans l'auto profonde aux côtés de l'être aimé, nulle n'a versé plus de fraîcheur que n'en verse un tel abandon à ces êtres et à ce lieu. Parfois seulement, — ce soir, en étude — un regard qui se détourne, un crispé petit sourire, une mèche trop nerveusement tordue entre les doigts, et en vous quelque chose s'arrête : le sol vous a cédé sous le pied, il y a de la vie qui bouge là-dessous.

— Eh bien, retrouvez-vous vos impressions de jadis?

Son camarade l'interpellait, lui aussi « ancien » de ce collège, revenu au collège, comme surveillant bénévole, quand la bataille vidait les chaires. « Les petits enfants demandaient du pain, et il n'y avait personne pour le leur rompre [1]. »

— Oui, dit André, heureusement.

Mais il chargeait de sens le mot banal. Il venait de sentir que, si son collège l'avait déçu, il l'eût haï de l'avoir aimé, et il était saisi d'éprouver une fois de plus combien naturellement il réagissait sur cette maison de même façon que sur un être. Les êtres! Les êtres! Il n'y avait qu'eux. Lorsqu'il prononçait : « les êtres », toujours il lui semblait que s'ouvraient à perte de vue, telles qu'en une enfilade de salles, les charmilles sans nombre du royaume de la terre. Toutes les images de la jeunesse et de la grâce, tout le bien et tout le mal par les âmes, tous les sentiments tendres, toutes les tragédies cachées, tout cela passait dans ces deux mots comme dans deux mesures d'un air populaire la nostalgie d'une race ou le rêve d'un siècle éteint, — et toutes les figures prestigieuses auxquelles il caressa la volupté d'un regret, et tous ces hommes angéliques que les

1. Jérémie.

anciens eussent appelés héros, et dont il avait bu l'histoire comme un vin pour en chauffer sa volonté et sa vie.

— Tenez, un que j'ai bien connu, et qui vient d'être tué...

Puis, à lui-même :

— Il avait du cœur. Ses frères n'ont pas été élevés ici. Je me demande si eux aussi ils ont du cœur...

« Je dis que je l'ai bien connu. N'attachez donc pas trop d'importance à ce que je pense de lui. Les gens qui l'ont « bien connu », lui qui était un passionné, le louaient d'être fort en mathématiques : on ne coupe pas la page aux endroits du livre qui vous dépassent. Aussi était-il de ceux qui vont toujours disant : « On me croit ceci, cela... », et encore « On se fiche pas mal de moi. » Et il parlait juste, comme ceux qui parlent d'eux-mêmes, car l'affection qu'il inspira d'ordinaire était bien celle où, en vous portant le plus grand intérêt, on se fiche quand même pas mal de vous. Enfin, vous voyez qui je veux dire, quelqu'un qui a commencé par écrire deux lettres pour une reçue, et à la fin ne répondait plus à aucune. Mais voici ce qui nous touche. Quitté son collège, dont il vécut beaucoup, il se met en tête que son collège l'oublie. Et alors les voilà partis, le jeune homme et l'établissement d'éducation, pour ce grand et laborieux voyage d'amour!

« Oui, oui, ce fut vraiment de l'amour, de l'amour avec ses pudeurs, ses inquiétudes, ses illogismes, ses manœuvres, et puis, d'un bout à l'autre, et c'est cela qui me le signe! une longue et perpétuelle méprise que ce grand soleil de la mort lui-même n'a pas éclairée. Je le revois... Plus heureux encore ceux qui aiment sans être aimés que ceux qui aiment sans savoir aimer! Sautant de la toquade à l'aversion, l'amoureux cajole son collège, puis le rudoie; ses visites là-bas, qu'il espace le plus possible, sont des entrevues; les moindres faits de là-bas, le prétexte d'imaginations et de remuements, et il vous les glisse dans la conversation, avec mille petites prudences tristes, par une nécessité physique de se décharger. Enfin, sentant bien qu'il reçoit moins qu'il ne donne, le pauvre fier se met à feindre l'indifférence. Dès lors, le voici qui ricane, ou bien, brave jeune homme, niaise avec de bons sourires : « Mais oui, tout ce qui touche la boîte m'est toujours très agréable... » Et puis il part, est tué. Au collège, quelques fleurs nécrologiques. Vous voyez, c'est le sonnet d'Arvers. Ah ! collège, collège, parfois plus amer que la mort... »

Avec tendresse, avec reproche, il se courba sur la grande chose vivante, ignorante d'elle-même et des autres, du bien et de la peine qu'elle faisait, de ce qu'elle avait porté et créé. Et il lui sembla qu'il la voyait sous la figure d'une femme endormie, ainsi là, au-dessous de lui, toute dehors, inconsciente de son regard, et pourtant, si abandonnée qu'elle parût, celée et secrète comme toujours... Mais l'âme, derrière les paupières closes, bougeait sous ses lèvres avec les globes des yeux.

Du bruit le fit se retourner, quitter la fenêtre. Son camarade venait d'arrêter un élève qui passait en courant dans le couloir. Le petit se tenait devant lui, le buste un peu en avant, les pieds parallèles. Débraillé, les mains sales, les habits même sans fraîcheur, — et pourtant la suprême fleur d'une race heureuse et parée. Les mèches noires en révolte sur le front, les jambes nues bardées de papier gommé par la bataille, le col rabattu rentré sous la veste (on le ressort quinze mètres avant d'arriver à la maison, parce que ça ferait une histoire) témoignaient d'une nature libre et volontaire, aux réactions vives. Quelque chose de loyal et de clair transparaissait au travers de son visage, comme le jour au travers d'une porcelaine; et sans doute cette lumière avait-elle révélé plus d'une corolle secrète, cette chaleur l'avait-elle épanouie, car la manière de son regard, à elle seule, découvrait une vie intérieure prématurée.

Et André disait, tandis que dans le couloir s'éloignaient en traînant les pas garçonniers :

— Ces petits enfants du peuple, on les a épuisés du premier coup. Vous leur avez parlé trois minutes, et les voilà qui sont épuisés, du moins pour vous; réellement vous en avez fait le tour. Mais, parmi ceux de notre classe, il y en a qui, vous emmenant à leur suite dans les plus insignifiants coq-à-l'âne, soudain vous clouent, pris de silence, au bord d'une profondeur qui vient de s'ouvrir. Ainsi une route un moment monotone, elle tourne, une vaste étendue se répand.

« Ceux-ci, comprenez-vous, ils ont du jeu sous la main, du recul. Ils inclinent une pente. Ils sont pleins de points de départ. Quittez-les de votre plein gré, après vingt pas il vous semble que votre conversation a été interrompue. Tout ce qu'il faudra absolument leur dire demain! Leur « recul », c'est le recul d'un pas que fait le banderillero pour attirer le taureau. Ils allument ce qui de nous est vraiment vital : une espérance, cette âme de l'âme. Ils allument notre volonté de savoir, notre volonté d'agir, notre volonté d'une vie plus confinée dans ce qui compte, et, selon cette admirable loi de l'eau qui ne coule qu'à la rivière, étant riches, notre volonté de leur donner. Et nous d'autre part, sitôt entrevue en eux une profondeur, nous nous jetons dessus comme pour y mettre le poing afin d'empêcher qu'elle ne se referme, et même au besoin de la distendre. Nous les maintenons de force sur son bord, nous leur disons : « Elle est là », de façon qu'elle existe deux fois; enfin nous allons, sourciers émus d'une âme, si quelquefois nous ne sentirions pas encore, sous des mains si attentives et ferventes, bouger une grave petite eau. Nous allons, mais rien, ni la crainte de nous incliner sur eux comme sur un miroir où nous ne trouverions que nous-mêmes; ni la conscience de voir résumée dans ce menu cœur la grande loi de l'amour ès corps ou ès âmes : « un fond qui indéfiniment recule »; ni cette tentation de brutaliser parfois une nature qu'on sait fine et fière, comme de donner la cravache à une bête de sang; ni l'entretien où systématiquement nous leur parlerons une langue au-dessus de leur âge, et où nous les verrons, comme le fox saute plus haut à mesure qu'on tend plus haut l'appât, s'élever peu à peu à notre suite jusqu'aux régions où il sert enfin à quelque chose d'être homme, rien n'égalera la minute imprévue où, au vif du babillage puéril et des innocentes facéties, tout d'un coup une petite phrase, oh, pas cette pauvreté d'un « mot d'enfant », pas une phrase pour se donner des airs, une simple petite phrase qui passe... Un trou s'ouvre, toutes limites fuient, j'entends des bouffées de musique. Ah, grand Dieu ! il a une âme. »

Il dit, mais celui qui était à son côté ne répondait pas. Il se tourna, vit les yeux moqueurs, les sourcils levés, les lèvres infléchies dans un sourire. Alors, une minute, il souffrit; une minute, pour la millième fois, la mâchoire d'âne l'envoya par terre. Il souffrit de ce garçon qui, l'ayant en sympathie et même lui rendant justice, néanmoins s'efforçait par ce seul sourire de faire de lui une sorte de cubiste, de le repousser hors des conditions de la vie. Il souffrit de son collège, non plus à cause de cette lutte sourde qu'il devait mener contre lui pour le recréer, mais parce qu'il venait de sentir distinctement entre eux, pour toujours, quelque chose d'inquiet et d'inexaucé. Il souffrit de lui-même, enfin, pour tant de raisons que je ne puis les dire. Mais la première fut qu'il y eut une minute où il adhéra au jugement stupide, où sa valeur lui parut quelque chose de ridicule et de malsain; celle-là fut la première, car, dans cette minute, si naturellement on ne le fit pas douter de soi, on le fit douter de ses relations avec les êtres, et c'est en cela qu'on fut dur. Ainsi l'avait peiné jadis celui qui supprimait le mot *Monsieur* sur les enveloppes des lettres qu'il lui envoyait, « parce qu'il ne l'imaginait pas dans ce cadre social ».

— Vous souriez? dit-il. C'est vrai, je mérite qu'on me dise, comme Diotime, la divine femme, à Socrate : « Tu aimes ce que tu songes, non ce que tu vois. » Aussi bien ai-je cru parfois que notre collège, malgré l'apparence, avait atteint à sa plus grande richesse dans les premières années de sa résurrection : cela à l'exemple de plus d'un qui donna toute son intelligence étant enfant, quand nul ne prenait garde à lui, puis, dès le tournant fatal de la classe de seconde, et tandis qu'on se mettait à le prendre au sérieux, devint idiot pour le reste de ses jours. Oui, plusieurs fois j'ai douté, mais toujours, à ces moments *modicae fidei*, le collège m'a rappelé que de cette beauté que j'y découvre il y a quand même une part qui ne lui fut pas donnée par moi. Tenez, ce matin encore, à la messe...

« Ceux de la Schola venaient de revenir de la Sainte-Table, — c'est déjà exaltant, n'est-ce pas, ce privilège qu'ils ont de s'y rendre les premiers? — un à un, d'un pas lent, les yeux baissés, le front baissé, passionnément purs comme Perceval, enfin, pour tout dire, beaux, saints et impénétrables. L'autel faisait dans l'ombre un large resplendissement doux. Un des enfants de chœur repliait la nappe, tel son frère, sur le roc palladien, replie le voile d'Athéna. Un autre tenait un morceau d'encens allumé dans sa main apyre, comme par un gracieux miracle. Un autre, agenouillé de profil, tournait la tête à demi vers nous, pareil à ces jeunes pages qui, au coin des panneaux du quinzième, se désintéressent de la scène principale : on dirait que l'artiste a voulu éterniser la faiblesse de ses petits modèles, les fixant au moment où, incapables de lutter contre leur curiosité, ils quittent la pose et tranquillement le regardent faire... Alors l'un des prêtres a prononcé l'*Ave* à voix haute; le collège a répondu : « Sainte Marie, mère de Dieu... », et ainsi à plusieurs reprises. Eh bien, nul collège ne *répond* comme le nôtre. Quelle réserve! Quelle prière bien élevée! Un murmure, le murmure d'une seule bouche, tellement nets les bords de l'unisson; les vagues sur une falaise, l'une après l'autre, très loin, un peu fortes puis qui s'évanouissent, se défont dans le silence... Nul collège ne répond comme vous; c'est dans un instant toute l'école catholique suggérée : sa délicatesse, sa dignité et sa douceur. Naturellement, cela n'est qu'un trait infime, mais quand Barrès écrit : « Il est curieux que du même collège soient sortis les deux romans les plus vrais et les plus touchants qui, depuis Dickens et Daudet, nous aient raconté les misères et les scrupules des enfants délicats dans les internats », il constate seulement le même fait dont témoigne ma petite émotion à ces *Ave :* ce collège, il y a la vie en lui.

« La vie en lui! La vie en lui! Cela vous donne le vertige, ces mots. Écoutez-moi, cette maison, parfois, elle me monte à la tête. Parfois il me semble qu'elle se compose en moi à la manière d'une énorme musique, le monument de musique d'une symphonie de Beethoven ou d'un drame de Wagner, où le déchirant thème en mineur de mon souvenir passe et repasse, comme une nuée de rêve sur un ciel de bataille. Et rien ne différerait, à de telles heures, si c'était auprès d'un être que je me trouvais, sentant se tendre et lutter en lui vers l'existence mille possibilités splendides. »

II

L'idole est de petite stature, et pourtant les prêtres nombreux qui la traînent, haletants sous le lin, attestent par leur fatigue qu'ils sont attelés au char d'un dieu.

CLAUDIEN.
Éloge de Stilicon.

Maintenant ils quittaient la chambre, abandonnaient les classes, les couloirs, dévalaient vers la grande joie des cours. Au bas de l'escalier, ils trouvèrent une encoignure sombre, sorte de poche dans le mur qui ouvre sur les cabinets des préfets de division. André s'arrêta, saisi de silence, saisi de quelque chose de sacré, immobile et traits de bronze devant ce sanctuaire du Drame intérieur.

Au fond de cette impasse les courants de tous les points venaient buter et se rejoindre; au fond de ce creux d'ombre battait le cœur suprême du grand corps. Dans le collège était concentrée toute la vie du monde; toute la vie du collège était concentrée dans ce réduit. C'était le point vital : lui détruit on eût dissocié tout le reste. C'était le point vital et c'était le point névralgique.

Obscur seuil que les étrangers passent en souriant, désinvoltes et dédaigneux. Mais qu'ils tombent à genoux ! C'est là que pour la première fois, et cette première fois fût-elle la dernière, pour une fois ineffaçable, des centaines d'êtres, arrachés une heure au traintrain de l'épais et du sordide, furent mis face à face avec ce qui compte.

Elle s'est renfoncée dans le mur, cette chambre, comme sous le poids d'une vie trop lourde. Toute la vie était là.

Sur une échelle réduite? Oui, seulement brûlant plus dru. Toute la vie, mais plus forte et plus redoutable par sa nouveauté, son premier jet, et les organismes encore sans défense, et les natures sans transactions, sans ironie, sans masques; toute la vie resserrée, densifiée entre ces quatre murs de collège qui vraiment bornent; toujours poussée, quand même, sans arrêt, par cette présence quotidienne qui empêche de s'échapper, de reprendre souffle, jette l'incident sur l'incident comme un torrent qui accumule des débris contre un obstacle, et les uns s'y heurtent que déjà d'autres les recouvrent, et d'autres; affinée, multipliée, décuplée par l'admirable instrument de pathétique : un sentiment religieux encore vivace; compliquée et comme brouillée dans ses valeurs et dans ses lois par les réactions sans analogue et les mystères de l'adolescence. A quelle hauteur de noblesse, à quelle profondeur de misère avait-on atteint sous ce plafond étroit? Les moindres objets y apparaissaient inspirés : les carnets, les feuilles éparses qui allaient avec un mot banal déchaîner mille résonances dans une âme; les revues feuilletées, rejetées, reprises au long de l'attente; les images, les photographies regardées avec cet intérêt vorace qu'on porte aux infimes choses familières, quand un coup très dur vient de vous frapper sur la tête, regardées par des yeux qui passionnément se détournaient pour cacher une larme ou soustraire un aveu. Ici on avait pleuré, prié, lutté, trompé, trahi. La mort même avait poussé la porte : ici, depuis deux ans de meurtres, les fils apprennent la mort des pères, les frères la mort fraternelle. Et ici furent soudain déployées des choses divinement belles et hautes, comme une blonde voile de lumière soudain larguée dans la grisaille du port. Et de faibles doigts inexperts, roulant la pierre éternelle, avaient décelé les puits brûlants de la pitié. Et les longs bras du Crucifié dans l'ombre n'étreignaient pas les vivants sur son cœur comme enlaçait cet homme à sa table toute la souffrance créée par ces êtres dont, en cette minute même, des jardins et des ombrages, on entendait venir la joie.

Oui, c'était vraiment toute la vie du monde qui palpitait dans cette sourde petite chambre; et toute la vie aussi que chacun de ces garçons allait vivre, comme les thèmes du drame musical sont déjà tous dans le prélude, et le drame vit là-dessus. Ainsi elle était là, immuable et hermétique, oubliette de tragédies décriées, témoin des mêmes émois et des mêmes gestes répétés d'âge en âge dans le même fauteuil par des êtres dont chacun s'était cru un être à part, confidente de générations d'enfants dont les petites mains, si allègres à se barbouiller d'encre, pourrissaient maintenant sous la terre; elle-même, à force d'avoir vu passer des âmes, devenue effrayante comme est effrayante une âme, auguste comme les tabernacles et chargée comme les tombeaux.

Là vivaient les prêtres, les semeurs de remords, guérisseurs olivâtres, maigres masques, étroits corps non épanouis dans la quiétude d'un culte égal et distant, viveurs et lutteurs qui peuvent à l'autel parler de leur jeunesse, mais mentent quand ils la disent réjouie. Une paternité douloureuse remuait au fond de ces hommes condamnés à être appelés : « Mon Père ». Toutes les crises, tous les cas de conscience, les dilemmes qui vous empêchent de dormir, les coups d'épée dans l'eau qui vous éreintent et vous ridiculisent, les visites au Supérieur, à neuf heures du soir, quand une affaire grave vient de vous tomber sur les bras; et ces brisements aux duretés nécessaires, et ces enfants qui parent si mal les coups...

Et tout ce qui fait qu'on peut parler d' « enfants terribles », mais qu'il n'existe pas d'enfant qui ne soit terrible; et que les Saint Christophe trouveront toujours le poids si lourd sur leur épaule; et que les David vous touchent toujours au front...

Parce qu'il y a quelque chose de poignant à refuser de solliciter une âme, à regarder se faire et se défaire les occasions, et dans toutes les mains dont on dégage la sienne, dans toutes les voix qui ne prévalent pas contre un sourire triste qui renonce, dans tout ce qui vient mourir contre cette immobilité et contre ce silence. Parce qu'avec ceux de son âge on sait tout de suite à quoi s'en tenir et on écarte ceux qui ne comptent pas, mais c'est un tragique jeu de hasard que de jouer sa chance sur un être inachevé, dont rien ne peut vous dire si demain, après l'effort et l'espérance, tout de vous ne le reniera pas dans un grand cri. Parce qu'ici notre parole est une bande de cartouches dont les deux tiers ratent (c'est comme si nous parlions à quelqu'un qui deviendrait sourd par moments et ne l'avouerait pas : jamais nous ne sommes sûrs de ce qui a existé pour eux et de ce qui n'a pas existé). Parce que le léger toujours est si content de surnager, mais tout ce qui est vraiment plein tombe au fond, ne peut venir au jour, forme un dépôt qui pèse et qu'on remporte, sans qu'il y ait rien à redire, rien à redire à cette loi de la nature. Parce qu'ils font un registre à part, où c'est le mi qui sonne quand on frappe le ré, mais que dis-je, un registre! un monde dont nous ne savons rien, où nous allons au petit bonheur, faisant joyeusement blanc là où de toute nécessité il fallait noir. Parce que c'est déjà dur quand c'est dans la vie qu'il faut créer, c'est déjà le corps-à-corps aussitôt qu'on ne veut plus laisser faire, mais ici c'est la mésentente qui fait la règle, une action qui naît avec sa blessure comme il y a une race de colombes qui naissent poignardées. Parce qu'à trop marcher à vide, frapper dans le vide (ah, mon Dieu, vous voyez comme ils sont innocents!), à trop les sentir qui décollent, comme le coureur cycliste décolle de la moto qui l'entraîne, à trop faire chacun son poids mort, nous contre leur vitesse, eux contre nos plongées, à trop se dérouler au-dessus d'eux en les laissant intacts, à trop sentir quelque chose qui joue, qui manque à mordre, et le mal qu'on se donne si gratuit, et le mal qu'ils font dont on ne peut même leur en vouloir, il y a une grande fatigue, une grande sécheresse dans la bouche, une grande négation de la tête, de tout l'être, dans un spasme à croire qu'on a avalé du poison, une grande aspiration à ce que tout soit arrêté, terminé, bouclé, comme si nous les perdions au contact mille fois plus que dans l'absence. Et parce qu'au soir, enfin, quand on a vu s'agiter tant d'êtres, tant de questions, tant d'intérêts âpres et forts, on se dit que cette enfance, après tout, ç'a été une si petite chose dans la journée, cela faisait sur les graviers de la cour une si petite ombre à côté de la vôtre, et alors les doutes se lèvent : « Est-ce qu'en leur donnant une telle place je ne suis pas séduit par un paradoxe, et tel que les messieurs qui se passionnent pour les échinodermes? Ma méthode est-elle la bonne? Mais est-il même besoin, ici, d'une méthode, et tout, chez eux, ne se tasserait-il pas tout seul beaucoup mieux qu'on ne pense? » Et parce que... Et parce que...

Et ceux qui marchent à quatre pattes dans l'étude et sont tout de même très dignes d'être aimés; ceux qui ne font rien si on leur demande un effort ordinaire, mais sont prodigieux si c'est un effort au-dessus de leurs forces; celui qu'on attaqua en le nommant du haut de la chaire, et le lendemain, pour la première fois, il demandait à se confesser à vous; et les larmes qui coulent sans que le visage change; et les aveux avec un petit sourire : « N'est-ce pas que c'est vous? » — « Oui, c'est moi »; et les punitions suspendues, les petites douceurs tristes à celui qu'on va renvoyer dans huit jours, comme au malade qui n'a plus longtemps à vivre; et leur maladresse d'expression : dire qu'ils sont *vexés* pour dire qu'ils souffrent; et la conscience que tout cela n'est qu'un passage, que l'été emportera ce qu'a donné l'automne, que d'autres vies pousseront celles-là hors de vos bras, d'autres vies auxquelles vous aurez le droit de vous attacher pour un temps de dix mois, et puis elles vous échapperont elles aussi; et ce but unique et cet unique devoir : faire qu'on puisse se passer de vous; et ce qu'il faut d'amour pour ne pas dire : « Pourquoi lier ce qui sera délié? »; et les fois où sous le cœur du prêtre qui rendait grâces, il y avait ce cœur de l'homme qui ne pouvait pas, qui ne pouvait pas s'empêcher de saigner...

Tout cela était là, et toutes les âmes, les orgueilleuses petites âmes qui refusent de voir leur misère, et vous trompent, et se trompent elles-mêmes, et dégringolent avec une monstrueuse insouciance; celles qui la voient, en ont peur, mais préfèrent périr plutôt que supporter une aide; celles dont on désespère et pourtant qu'on ne peut pas jeter à l'eau, qu'il serait trop déchirant, trop tragique de jeter à l'eau; celles qui promettent, veulent tenir, ne tiennent jamais, si cruelles et si faibles, et plus cruelles et plus égoïstes parce que plus faibles; celles qu'on prend et qu'on secoue à deux mains pour les arracher au mal; celles en qui l'on a mis sa confiance, et qui abusent, abusent, abusent de vous; celles qui ne font rien, et sont mortellement lourdes du seul poids de leur inertie; celles qui fuient, s'échappent éternellement, n'ont conscience que de ce qui les obsède, et que par instants on voudrait détruire, parce qu'alors au moins on les aurait fixées; celles qui paraissent fourbes tant elles sont muettes, mais c'est honte de montrer leurs ignorances, honte de montrer aussi comme elles prennent tout au sérieux; celles où il faut remuer, brasser, creuser durant des heures avant d'atteindre à une source encore vive; celles qu'il ne faut pas fouailler parce qu'elles s'y font, et celles qu'il faut fouailler sans cesse parce qu'au premier répit elles se croient au but et sont enchantées de ce qu'elles n'ont pas fait; celles qu'on dirait des chantiers de ferraille et de débris, avec dans un coin des pierres de taille toutes belles, mais on n'a pas le temps de déblayer et de construire; et celles qui sont si avides de tout mal, si faites pour le mal, si ridiculement faciles à manier vers le mal que l'initiateur lui-même les dédaigne, si perdues à onze ans que rien n'y fera plus, comme certaines mains ouvrières qui sont imprégnées de saleté, et que nulle chimie ne pourrait plus rendre propres. Toutes, elles étaient là toutes, avec leurs veuleries, leurs combats, leurs héroïsmes, leurs incertitudes, leurs points d'honneur si mal placés... Et la chambre était la chambre des promesses; et les corps eux aussi étaient là.

Là, debout, avec leur costume anglais, leur épi de cheveux, le stylo qu'on essuie dans son mouchoir, avec leur visage baissé, leur pied en arrière, leur bras tenant l'autre derrière le dos. Et l'abbé se penchait, disant : « Pourquoi avez-vous fait cela? » Mais l'enfant se taisait, qui n'était pas un mauvais enfant, et qui pourtant était inguérissable.

Qui n'était pas un mauvais enfant, qui n'était pas un enfant à qui l'on eût jamais reproché quelque chose de grave, mais simplement un enfant qui n'était pas comme il eût dû être, qui était en toute chose à côté de ce qu'il eût dû être... Et qui à cause de cela était inguérissable; et qui coulait doucement au fond d'un gouffre, avec un petit sourire, et trente personnes alentour qui trouvaient que ça allait très bien.

Ah, cet enfant, comme il pesait, tenait à la terre! Tout un collège était impuissant à s'envoler, pour ce seul enfant aux ailes trop longues. De toutes parts on demandait sa tête. Dix parents étaient venus se plaindre de lui; des professeurs refusaient de le recevoir plus longtemps à leurs cours; tous les six mois son nom réapparaissait sur la liste des « à renvoyer », comme Robert Guiscard était excommunié chaque année; et cependant il était encore là. Et le prêtre savait que l'enfant lui avait crié : « Brute ! » et lancé son dictionnaire à la tête, mais il savait aussi cette heure quand, appelé un moment autre part tandis qu'il était à le couvrir de reproches, à son retour ce garçon de quatorze ans lui avait dit simplement : « Ne me quittez pas », comme s'il avait cru qu'il était parti pour toujours... Il savait tout ce qu'il a d'irritant, et comme il s'enferre sur l'affection qu'on lui porte, mais aussi mille choses mystérieuses, un jeu auquel on n'a pas boudé, une façon de se tenir à peu près convenablement au réfectoire, une contraction du visage par l'effort pour n'être pas insolent... Et il était prisonnier de cette âme de bon désir, à demi morte et respirant encore, prisonnier comme en ce soir quand après l'âpre journée, où décidément il avait résolu d'en finir, il avait surpris le tourmenteur misérable dans le sommeil sur le petit oreiller : les bras grands étendus, sortant du lit à travers le vide, dans un affreux geste où il y avait ensemble et le crucifiement et l'acceptation infinie, — la tête inclinée sur l'épaule gauche, et pleurant sans le savoir.

Et la chambre était la chambre des promesses, qu'on ne croit pas et qu'il faut sembler croire : « Oui, vous me dites ça, mais je sais bien que... » — « Oh, alors, si vous savez bien ! » Et la nuit elle aussi était là.

Ils en étaient cernés, enveloppés. Partout, après le torrent qui vous emporte, vous anesthésie, c'était l'arrêt, l'énorme silence : sur les études fumantes, sur le préau vide et sonore où tremblotaient des lueurs pâles, sur la chapelle où une lampe obscure veillait comme un espoir à genoux, sur les cours de novembre prises dans la nuit. Elles étaient très grandes, à cette heure, les cours. On eût cru qu'elles étaient pleines de chuchotements, comme un parc nocturne plein de petits cris de petits animaux sans cesse occupés à mourir, qu'elles étaient pleines de désarrois perdus. La ville débordait. Roulant, se poussant, se serrant, avec ses griffes et avec ses gueules, elle débordait à travers la nuit. Et la ville et la nuit en une seule mer enserraient le grand paquebot lumineux, balancé dans les mains redoutables. Et elle entrait dans l'étroit couloir. Et elle s'arrêtait derrière la porte de la petite chambre, pour prendre l'enfant quand il sortirait.

Et tous deux ils la sentaient derrière la porte, collant sa face verte à la vitre, et ils ne regardaient pas de ce côté-là; et l'homme savait qu'elle reprendrait l'enfant, et l'enfant savait qu'il serait repris. Et l'homme criait au fond de soi : « Seulement qu'il ne sorte pas d'ici ! Qu'il reste quinze jours avec moi seul et je le sauve ! Qu'il reste huit jours, trois jours... Mais qu'il ne sorte pas ! qu'il ne sorte pas ! » Et puis, saisi d'un scrupule : « O mon Dieu, l'affection que je lui porte, d'autres ne la méritaient-ils pas autant que lui? De quel droit les en ai-je privés? Non point vraiment privés, mais ils sont quarante et je suis seul, et rien dans les âmes ne peut être fait en gros... Vous êtes lourd dans notre ministère, vous êtes lourd, lourd comme tout, Seigneur. Je les entends, ces enfants perdus, qui se lamentent dans la nuit noire, qui crient : « Soignez-moi ! », qui crient : « Sauvez-moi ! », comme les blessés que j'entendais hier dans la guerre, et qui demain blasphémeront avec douleur cette vie vraie dont ils avaient le besoin et que nous n'avons pas su leur donner. Mais au moins, s'il faut qu'ils périssent, grâce pour celui-ci ! Nommez enfant de bénédiction celui qu'ils maudissent sur la terre, par votre choix infiniment caché. Eh, mon Dieu ! aimez-le, aimez-le. Couvrez-le de votre ombre, menez-le dans votre île; et que cette prière que je vous présente soit celle même que vous aviez attendue. S'il paraît enfoui, s'il paraît perdu, oh ! je saurai bien le tirer de terre comme vous avez tiré le

Lazare, et déjà comme vous j'ai frémi. Viens dehors, fils des autres! Je te vivifie en l'éternité. »

Une dernière fois, il l'attaquait; une dernière fois, s'il en tirerait une étincelle, il heurtait cette argile qui était pareille à de l'acier; et tout son être, dans ses mots humains, luttait pour déborder le pouvoir de l'expression humaine; et chacun de ses mots en s'envolant faisait avec son trop-plein d'âme éclater l'enveloppe grossière, et l'âme s'en échappait dans l'air de plus en plus chargé. Et l'enfant se taisait; ce n'était pas un mauvais enfant, seulement il était inguérissable. Et, derrière la porte, le Leviathan faisait le guet.

Alors de nouveau le prêtre parlait, mais il avait été touché; sa voix s'avançait portant sa blessure, perdant déjà sa vie.

— Vous me forcez à vous le dire : il n'est personne ici qui ne soit fatigué de vous, qui ne soit excédé de vous, excédé comme vous ne pouvez pas le savoir.

— Oh, si, je sais bien.

— Mais alors, mon pauvre petit...

— Pourquoi dites-vous « pauvre »? Je ne suis pas à plaindre.

Ah! vains efforts, efforts mornes, contre cette impuissance contractée. Le prêtre parlait longtemps, crayonnant sur son buvard, regardant les rayons de la bibliothèque, longtemps, les tempes serrées, la bouche sèche, dans une espèce d'horreur. Le docteur ès âmes avait la bouche sèche, mais il avait beaucoup parlé; l'enfant lui aussi avait la bouche sèche, et il n'avait rien dit. Le prêtre parlait; il n'avait plus d'accent, plus de pensée, plus rien qu'un effort de muscles pour garder quelque tenue, pour ne montrer pas trop ouvertement qu'il parlait au hasard, par acquit de conscience, et que cette fois tout ressort était bien défait, toute source tarie, tout moyen brisé fors la prière, tout espoir soufflé fors dans la communion des Saints. Et quand il avait parlé, il y avait un grand silence. Des choses infinies passaient dans ce silence, des regrets, des remords, une fatigue sans bornes, une pitié sans fond. Et chaque seconde l'aggravait et l'affermissait, comme une pierre de plus à ce mur qui entre eux deux, pour les séparer, montait avec une vitesse hideuse; et cependant, jusqu'à la minute dernière, la flamme de la lampe battait doucement comme l'aile faible et tenace — oh, toujours plus faible, — d'une espérance qui ne veut pas mourir, comme toutes les autres flammes, qui n'étaient pas tout à fait mortes, et qu'il fut défendu d'éteindre.

— Allons, il est sept heures moins le quart. Je vais prier pour vous, pendant que vous serez en étude, jusqu'à ce que la cloche sonne. Ne trompez pas ceux qui vous aiment au moins pendant ces quinze minutes.

Des dents serrées, de la gorge serrée, du cœur serré, un mot sortait, à peine distinct, refusé et dit :

— Non.

Et puis on se quittait. C'était fini.

C'était fini. Le garçon s'en allait, la nuit le reprenait. Il ne savait pas pourquoi il n'avait rien dit, car il voulait parler; pourtant ce serait à refaire qu'il ne dirait rien de plus, rien de plus... Il était l'élève qui ne parle pas mais qui écrit. Et il ne savait pas pourquoi il avait été rosse, car il voulait être gentil : l'abbé avait été très chic avec lui. Il ne savait pas, il ne savait plus grand'chose, seulement qu'on était là tous à lui chahuter dans le cœur; il n'était pas heureux; il n'avait plus envie d'acheter du poil à gratter pour la classe de demain, — et voilà qu'il allait falloir consoler les pauvres de la Conférence Saint-Vincent-de-Paul... Il rentrait en étude, et comme il avait une âme d'esclave, en passant devant les autres il faisait signe, de sa main sur sa joue, qu'il s'était rudement rasé avec l'abbé.

Cependant, dans la chambre des promesses, l'abbé s'agenouillait sur le prie-Dieu encore marqué des genoux de l'enfant, et il priait pour lui, qui n'était pas un mauvais enfant, seulement qui était inguérissable, — et qui aussi avait un cœur maladroit.

Et André regardait. Bien des fois son âme à lui s'était tenue devant sa conscience comme devant son confesseur cet enfant en costume anglais. Mais il ne pensait pas que rien eût dépassé de beaucoup, en lui-même aussi bien que par tout le monde, ce qui pouvait tenir de grandeur et de pathétique dans l'humble recoin de ce *bahut* et de cette *boîte*.

Et il regardait, se souvenant dans son cœur. Et il se souvenait, et toutes ses puissances de faiblesse étaient déchaînées, et son cœur remontait le grand fleuve de son souvenir. Et il souffrait du courant hostile, des barrages, de la longue distance, des masses d'eau qu'il devait refouler...

Il lui semblait que tout ce qu'il avait vécu depuis, ç'avait été comme une infidélité. Il eût voulu être resté immobile, n'avoir rien ajouté, n'avoir rien recouvert, avoir fermé sa vie.

III

André avait observé que c'est vers l'âge de treize ans que la plupart des Français atteignent à leur plus grande richesse d'âme, et il sentait vivement combien nous pourrions recevoir de ceux qui nous montrent, parés de la grâce de l'âge, ce sérieux, cette haine de l'ironie, cette violence et cette prodigalité de la vie, cette prise impétueuse de l'objet, cette façon de s'absorber dans le cœur même des réalités, alors que nous, « grandes personnes », nous nous contentons d'errer sur leurs bords.

« Hélas, pensait-il, loin de là, les enfants ne nous intéressent qu'autant que nous pouvons niaiser avec eux. Dans leur prime saison, qui ne les aime ! — « Qu'il est gentil ! — Oh, le mignon ! » : la mièvre sentimentalité, les ineptes zézaiements. Mais, onze ans accomplis, fini de plaire; on les traite avec agacement et dédain. Rien d'étonnant : c'est que leur âme est née. Quand leur âme sera morte — elle meurt chez le plus grand nombre environ la dix-huitième année, — la sympathie et l'attention reviendront d'elles-mêmes. « L'âge ingrat » : j'attendais un nom de cette sorte pour *l'âge de l'âme.* »

Il était descendu aux jardins, où son compagnon avait pris congé de lui. Il marchait au milieu des choses comme au milieu d'une musique arrêtée.

« Ils n'apportent pas seulement leur *earnestness*, leur intensité, leur pouvoir de création. Leur attitude devant la vie est un enseignement. Plus que nous, ils perçoivent qu'elle est fondée sur l'arbitraire, et nos préjugés, à nous-mêmes si secourables, les bouleversent et leur font mal; cependant ils sont possédés d'un tel besoin d'admirer, d'aimer, qu'ils agissent comme s'ils ne savaient pas cet illogisme et cette injustice, et c'est cela que nous appelons leur candeur. »

Et André en venait à se demander si l'immortel : « Si vous ne devenez semblables.... », où nous n'entendons qu'un lyrique appel à la pureté, ne devait pas être pris à la lettre : signifiant qu'un homme qui, les adaptant à son âge, reproduirait les caractères principaux de la nature de l'enfant, approcherait du suprême exemplaire proposé aux dépassements humains. Avec un grave enthousiasme, où brûlait sa seule raison : « O enfance, pensait André, — détournant d'une *Invocation* fameuse les paroles pour la Fille aux yeux pers, — toi seule es apte à nous introduire au divin. »

Mais les arbres, se balançant, firent mille signes de dénégation gracieuse. Et le ciel leva ses sourcils.

N'est-ce pas qu'ils étaient bien vastes, les jardins traversés de plein air, reposant comme une chose divine, comme une lyre étendue? Ils reposaient, traversés de plein air, et l'air en était tout joyeux. Le sol se gonflait en lents vallonnements, soulevait de place en place les corbeilles et les pelouses comme par une souterraine oppression de l'été, et les molles allées se frôlaient au passage, entraînant dans la nuit bocagère le parfum des processions évanouies. Le collège transparaissait doucement entre les arbres, comme un grand berceau d'or éteint : non plus la fournaise peuplée de maléfices, peuplée d'hiver, de soir et de pluie, mais l'asile secourable et sûr qui soutenait dans ses mains fraternelles les fronts rafraîchis et les cœurs appuyés. Tout proche, pourtant il suggérait l'idée d'une hauteur de songe. Au bord de ces terres qui se courbaient à la façon d'un golfe, n'était-il pas amarré là, le vaisseau du ciel dont les voiles sont des anges? Et Christ atterrissait au long des pentes heureuses.

Des pigeons et des tourterelles, à l'approche d'André, ne s'envolèrent pas. Mais plus loin, pris de peur, des faisans sur les rochers faisaient bouger des rutilances, comme des cris jetés dans ce repos.

La journée atteignait à sa perfection. L'air était rafraîchi par la jeunesse des êtres comme par des lacs cachés. Parfois un enfant attardé passait, regagnait une cour, — un enfant perdu dans ces allées perdues, tout perdu, tout petit dans ces gorges de verdure, mais bien content parce qu'il faisait beau, — et sans cesse André croyait voir, dans le lointain des cordiales retraites, toutes les images de la fierté et de la grâce, tous les concerts et toutes les fêtes par les âmes, toutes les vies protégées où coule un sang charmant et joyeux. Mais, derrière la balustrade, une poussière montait par à-coups, avec une éruption de cris. Puis, l'une plus vive, l'autre plus alanguie, elles se défaisaient par l'air tranquille. Puis elles rejaillissaient plus fort.

— Il rage ! Il rage !

— Il fait sa brute !

Une rumeur héroïque, la respiration d'un vaste poumon jeune parvenaient jusqu'ici du fond des cours enthousiastes, et les jardins sages, sous leurs branches émues, s'ouvraient en tressaillant à ce libre souffle de vie. D'un terme à l'autre du collège, il passait ; des âmes à tout moment se détachaient de quelque morne rive, comme des barques musiciennes, entraînées. « Confiance » était le nom du souffle que les reconstructeurs apportèrent dans une outre, avec le ciment et la pierre, et toutes les choses, en souriant, répétaient le nom ailé. De sorte que dans ce large courant d'air ce qui était flamme brûlait plus haut, ce qui était fibre vibrait plus ému, ce qui portait une odeur la répandait plus fort, et l'appel que le cœur lance au cœur, secondé par l'espace, touchait plus cinglant et plus loin. Ainsi tout du collège, s'ordonnant alentour selon sa grâce, composait une qualité de vie très belle.

Très belle. Très précieuse. Parée des plus riches traits de chaque époque, à croire que, sur la vasque de verdure cernée par ces arbres, les Esprits de tous les âges penchaient joue contre joue leurs visages éternellement jeunes, et de leurs bouches rapprochées murmuraient la syllabe par quoi tant de choses excellentes s'étaient faites : plaire. Les élections par ses pairs, et déjà les trafics d'influence et les passe-droits ; la furieuse colère de parti sur les faces bleu et or dans le feu estival; la bête qui vous ronge le coin de la bouche quand toute l'étude, d'une seule voix, acclame le médiocre vainqueur; l'insolent garçon qui sauta le mur, ayant acheté des votes avec la caisse du chocolat; les faibles et durs visages polis de sueur, comme au temps où pour les signes, les statues suaient; les récréations de quatre heures, en hiver, dans la nuit, aux reflets des torches; les visières des casquettes brillantes et baissées sur les yeux comme celles des casques; et les courts manteaux prétoriens battant contre les loges des *questeurs*; et les paumes autour des hampes des dais; et les doigts sous les lourdes chapes, sous l'or et le velours, au fond des profondes armoires, dans les salles secrètes, faisaient un emportant phantasme où il y avait du palais et du monastère, de la Rome des Césars et de la Rome des Papes et de la vieille France du Moyen Age, songe splendide préparé pour la descente du divin, pour de merveilleux orchestrants, et pour les éclats de la vie ardente.

Là-bas, au travers d'un treillage, des boucliers étincelaient, beaux, bien faits, de couleurs variées; là revivait des « philosophes » la dispute charmante et grave, telle qu'aux jardins d'Akademos ou aux sapins des Camaldules,

Jardin de Jupiter, où poussent les Idées,
Nous y avons passé, n'en cueillant que les fleurs...

là volait la piste pure touchée par le doigt pâle des Jeux. Des pétales flétris de la dernière Fête-Dieu, qu'on écrasait de place en place, évoquaient les théophories embaumées lorsqu'elles montaient en tournant parmi les arbres ainsi qu'aux jours de miel sur la voie blanche de l'Acropole. Les éclatantes petites cagoules des scholistes semblaient brûler encore l'ardent gazon, fléchies toutes ensemble vers l'ostensoir comme des pâquerettes vers le soleil. Par les baies grandes ouvertes des classes, les bas-reliefs, les gravures des maîtres, pendus aux murs, disaient à tout ce qui les environne : « Vous et nous, nous sommes du même ordre. » Et de la chapelle et du préau des fêtes arrivaient dans l'immense onde lyrique les mots grecs comme des fleurs envolées, les mots latins somptueux comme des abeilles, ceux des motets avec toute la superbe romaine attendrie à l'antique ciel de France, ceux d'Iphigénie mourant deux fois de ce qu'il fasse du soleil, ceux qui parmi les rameaux verts dirent à l'enfant Ion : « Apprends à être heureux. » Et sur ces images de tous les esprits et de tous les temps, sur le travail et sur les fêtes, sur les pures puissances spirituelles et sur les simples gestes gracieux, le Sacré-Cœur, haut sur son socle et sur son tertre, étendant les bras agrandissait l'espace, étendant les bras disait : Je comprends tout.

[1] André déboucha dans une mignonne cour, enclavée comme un petit lac alpestre au milieu des buissonnets prévenants. Les *cinquième* y jouaient, âmes toutes pavoisées. Et il vit l'autre de ses pairs qui s'était fait leur surveillant, et dans les mains de ce garçon un des cinquième cachait sa tête, et on ne savait si c'était parce qu'il avait mal ou parce qu'il pleurait, ou pour les deux à la fois sans doute. Or, ce cinquième s'appelait Olivier, tout juste comme un petit arbre grec...

— Ah, s'écria-t-il, si vivement qu'il n'eut conscience de sa pensée qu'à l'entendre traduite en son dans l'air, ah, comment n'être pas bon ici !

L'autre dit simplement :

— Aussi, ce sont de bons enfants.

Il savait qu'ils lui avaient créé l'âme.

1. Voir la note V.

On entendait les enfants crier, les moineaux sauter d'une branche à l'autre, le petit tramway jaune, si amical, toujours chargé de jeunesse, filer le long du Roule. André se taisait, obstrué par sa surabondance comme on est empêché par une pénurie : éternelle malfaçon de l'être, à moins qu'il ne faille l'appeler sauvegarde (et alors exquise) prudemment affectée à notre pudeur sentimentale, qui n'est pas une personne de confiance. Et il songeait : « L'étrange chose, émouvante, ce collège qui fait des prisonniers, qui crée une nostalgie à son chiffre ! Il faudra qu'un jour, en manière de signe, nous allions suspendre à son portail une couronne des feuilles fidèles, de lierre cueilli dans ses jardins. *Qui vo' stringer sempre :* « Ici j'enlace pour toujours. » Car c'est ainsi. On se frôle en classe et puis on se quitte. Les uns emportent la marque du collège, aussi visible qu'une marque sur leur visage ; d'autres plus subtile et n'apparaissant qu'à l'occasion ; d'autres dans leur nuit interne, ignorée du monde et d'eux-mêmes. Et on va, et on se perd de vue, ou plutôt on reste en vue, mais s'ignorant et se méconnaissant l'un l'autre. Et, après des années, par hasard on se retrouve. Et alors on se reconnaît de la même race. »

Il ajoutait, souriant d'amertume : « Ou plutôt l'un des deux reconnaît l'autre et rien de plus. Celui-ci, dont la sensibilité n'est qu'un reflet de la mienne, me croit fermé à tout ce qu'il sent. En cette seconde se fait en lui le bref dialogue que je connais trop : « Vaut-il la peine que je lui dise cette parole? — Non, il ne la vaut pas. »

— Qu'ont dit tes parents, demanda-t-il, quand ils ont su que tu voulais te « faire pion » ici?

— Ils ont été d'abord étonnés. Puis contents lorsqu'ils ont vu comme je suis heureux.

Je suis heureux ! Je suis heureux ! Il disait qu'il était heureux. Il ne mettait pas le verbe au passé !

— Ah ! la guerre finie, quand tout rentrera dans l'ordre, le jour qu'il te faudra quitter... Est-ce que tu pourras? Comme ce sera dur !

— Ne dis pas que ce sera dur. Ce sera terrible.

Frissonnante minute. Ils savaient leurs innombrables dissemblances, et tout ce qu'il y a en chacun d'eux qui est sans intérêt pour l'autre, et les six années passées côte à côte sans qu'il vînt jamais à l'esprit de personne que de leur rapprochement pût naître rien qui compte. Cependant, il y eut quand même une seconde où leurs âmes, si fort dilatées par une soudaine affluence, parurent se toucher. Mais elles ne se touchèrent pas. Et le silence coula entre elles, devenant nappe, devenant mer. Et bientôt elles ne se virent plus. Et l'on ne peut même pas dire qu'elles en furent affectées.

Alentour, dans la fin de jour, la fin de juin, la fin d'année, c'étaient les jeux souriants et las. Dans l'invincible soleil où s'attarde une poussière plus lente, c'étaient les pas qui traînent, les voix qui s'énervent, les petits gestes qui retombent : tous les regrets insaisissables, toutes les faibles et charmantes choses, tout ce qui se défait, s'arrête, s'en va. Mais là-bas, entre les arbres, un sagittaire passait au galop, tournant la tête et sonnant du cor.

André restait là, les yeux mi-clos, sans un geste, et la langueur irritante de ce jour, avec des tiédeurs molles qui passaient, surchargeait son accablement. Un enchantement sortait de la terre. Les garçons jouaient, sautaient, pourtant il y avait partout une immobilité merveilleuse. Les voix longues, un peu nasillardes, l'enveloppaient d'un bosquet de fraîcheurs, pourtant il y avait une immensité de silence. « Douze ans, treize ans, songeait-il, et peut-être là derrière tout Shakespeare, et l'appel du sagittaire disparu... », pourtant descendait sur lui la même sérénité qu'ont les antiques dans la pierre : la minute physique et actuelle, épuisant toute son activité intérieure, lui saturait l'âme.

— Allons, rentrez le ballon. Il va être l'heure...

Il la savait fugace, cette minute, suspendue, étonnée d'elle-même, aussi sûre de son évanouissement que le sommet est sûr de sa pente; et il la recueillait avec une sorte d'emphase craintive, croyant sentir enclose dans la qualité seule de cet air toute la fragilité de son bonheur, ou bien comme un mourant qui passerait ses mains sur le visage bien-aimé, pour le fixer dans sa chair et l'emporter dans la nuit. Toute frêle, toute légère, sa vie fuyait de toutes parts comme un duvet qui s'éparpille. Et il lui semblait que dans ce même mouvement le collège entier, lui aussi, avec eux tous, s'en allait à travers l'espace comme sur une eau songeuse une île à la dérive, très loin, vers les limites du monde, vers les Iles Fortunées...

La cloche s'ébranla, emportant la bonne âme chrétienne à travers le doux Neuilly sanctifié. La récréation finissait. Le *pion* tendit la main.

Quelle parole dit André? Quelque chose comme : « Malgré les apparences, si tu savais! si tu savais! » Et l'autre, quelle parole? Quelque chose comme : « Je sais bien! je sais bien! » De la sorte, l'un déclarant qu'il ne dirait rien, l'autre qu'il ne tenait pas à ce que rien fût dit, ils restèrent là une obscure seconde, liés et séparés, à la croisée de deux routes adverses. Et le geste du fugitif, à demi tourné vers le large, mais le bras, le visage encore tendus vers celui qui restait, était le geste du premier homme au seuil perdu du premier paradis.

Il partit. Du fond de l'horizon, des confins du ciel, de la hauteur du zénith, la tristesse fondait sur lui. Les jardins saignaient; un automne était dans sa bouche comme le jus d'une grenade passée; les cours étaient pleines de choses irrévocables. Soudain toute la nature était recréée par sa souffrance. Les pelouses, les plates-bandes, les pierres du gravier soudain étaient hideuses. Ah, ces yeux fermés pour ne plus voir !

IV

Il remonta, regarda.

De toutes les cours, comme aspirés, les enfants refluaient vers le collège : ainsi le sang dans les veines, et c'était bien là le sang du collège. Comme dans le vers antique, « la cité fleurissait de jeunesse ». Les *grands* naissaient de sous les arbres, sur deux files, comme la cuadrilla qui sort dans l'arène; ils naissaient, passaient, disparaissaient. Et là-bas aussi, vers les classes enfantines, au fond des tièdes demeures végétales, pleines de dièses, pleines de candeurs blotties, avec lenteur les allées coulaient. Enfants très graves, plus clairs, nourris de pêches, leurs petites ailes pointaient, soulevant les coins du col marin; leurs âmes, comme dans le Songe de Scipion les astres, faisaient de la musique en marchant. Et ils se retournaient, se butaient sur les talons, cueillaient au passage la feuille naïve de la choé attique, et ils passaient, grâce incertaine, les premières divisions avaient déjà depuis un temps disparu qu'ils passaient encore, — appui, refuge, dilection intime du Chef Suprême, champ de l'expérience plus mûre, champ de l'espérance intacte. Enfin le préau coupa le dernier geste, étouffa le dernier bruit. Les cours furent plus grandes. La maison reprit son secret. O parents ! tous ces fils de votre chair qui ne sont pas les fils de votre âme !

Une rumeur monta : on se rendait en classe. La vie collégienne enveloppa le jeune homme. Il entendit des voix, des appels, des portes tourner, des pas courir, de nouvelles sources de jeunesse sourdre et couler de loin en loin. Tout droit, sans un souffle, le sang cinglé, il écoutait : dictateur qui entend la foule, marin la tempête, torero le bourdonnement sonore du cirque où il va défiler. Il ne voyait rien. Il était au centre de tout mais il ne voyait rien, ne savait rien, ni les visages à lier à ces voix, ni les âmes, ni les noms, ni l'emplacement des classes, ni rien. Des portes se fermèrent, les voix s'éteignirent, le silence se fit. André resta seul.

Il regarda autour de lui. C'était la chambre de son camarade, le frère arrivé à la paix, sa chambre de surveillant sous les toits. Dans la chambre, c'étaient le lit, la table de toilette, l'étroite fenêtre mansardée; sur la table les innocentes choses : une petite traduction bleue de Tite-Live, confisquée, des balles de rechange, l'effrayant carnet où le trois octobre on inscrit quarante noms, quarante noms qui ne sont rien que de l'encre sur du papier, quarante noms qu'on prononce de travers, dont on estropie l'orthographe, dont on confond les prénoms, et dont on se dit : « Lesquels seront demain dans ma tête comme le nom de la rue où j'habite? » Alors une mélancolie s'effeuilla sur sa face, se posa, comme le soir tombe. Ses yeux devinrent des yeux de jeune fille...

Il redescendit.

Familière lui était sa peine, car c'était toute la peine de l'amour, celle qui premièrement naquit en l'ange avec l'aspiration vers une nature parfaite, celle que nous figure la fable du fleuve Alphée et de la source Aréthuse : en un élan de passion ils se rejoignirent, mais jamais ils ne purent confondre leurs eaux. Parce que le jeune homme aimait son collège, c'était entre eux toute la tragédie de l'espèce qui se refaisait : un besoin qu'on nous donna sans nous donner le pouvoir de le satisfaire. « Plus loin ! » criait-il, sa devise et celle de l'espèce. « Plus loin ! Plus loin ! » Se fondre avec son collège comme on le tente avec les êtres ! Être à sa vie et à son cœur comme est à l'éponge l'eau qui passe ! Faire vraiment un seul en deux comme l'admirable femme antique qui, brûlé le corps d'un époux bien-aimé, prit ses cendres et les avala ! Mais non : aujourd'hui, demain, toujours quelque chose du collège glisse hors de son étreinte. Le sommet atteint, toujours des montagnes plus hautes ; toujours le fruit de Tantale qui s'échappe ; toujours la cuve fabuleuse où je puise et que je n'épuise pas. Voilà le collège et me voilà, élève, maître, Supérieur, à quelque place que vous imaginiez, et voici entre lui et moi ce vide qui diminue mais qui demeure, comme entre le piston et le fond de la pompe, et voici nos deux solitudes et nos deux incertitudes intactes. Tout a été fait et rien n'a été fait. Et rien ne pourra jamais être fait qui dépasse ce qui a été fait là, rien, jamais, jamais.

Mais au détour de l'allée il tressaillit comme à l'apparition d'un génie. Dans un recul des massifs, un homme était là, assis sur un banc : le jeune prêtre qui remplaçait le Supérieur parti pour le front. Son visage de Christ, encadré d'une barbe pâle, avait la lividité de la mort. Ses doigts tenaient un chapelet. Comme les tours crénelées sur la tête de Cybèle, tout le collège était sur sa tête.

Il parut à André qu'il voyait une croix noire se dresser sur un monceau de fleurs. Il repoussa les fleurs, vit la pierre de la tombe sur laquelle il marchait allègre, vit que tout un jour serait fini. Alors il ferma les yeux, pris de détresse. Et toutes les étoiles, derrière le ciel, poussèrent une plainte.

V

Dieu reconnaîtra ses anges à l'inflexion de leurs voix et à leurs mystérieux regrets.
EUGÉNIE GRANDET.

Quand il les rouvrit, le jardin bougeait d'un peuple silencieux. Ils étaient là, tous ceux qui vécurent dans cette maison et ceux qui seulement y passèrent, mais sont d'elle par leurs profondeurs et doivent entrer dans sa légende; les êtres de lumière attirés et groupés par son inconscient accord avec l'insigne, et les bons enfants simples, « l'honneur du collège », haussés par ce grand trône de la mort; les maîtres et les élèves qui, avant de mourir, s'étaient regardés avec des yeux splendides : « Voilà qui c'était », avait dit le maître, « Voilà qui c'était », avait dit l'élève. Ils allaient. Chacun entre ses doigts portait le don collégien, comme chaque saint dans les images son emblème : l'un un livre dont douze pages répandaient de la clarté, l'autre une plaie, l'autre une guérison, d'autres un remords, une minute ineffaçable, une journée de soleil, un album de photographies, d'autres un acte qui fut fait, d'autres un acte qui ne fut pas fait. Et parmi ceux qui ne portaient rien du collège, certains gardaient au fond du cœur comme une goutte d'essence qui ne se révèle, mais remuez un peu, tout s'embaume; et certains étaient comme une main qui se fait gloire de sa bonne odeur, mais oublie quelle chère pression l'en imprégna. Ainsi allaient-ils, et au-dessus de leurs têtes, très longues, les yeux clos, les bras sur la poitrine, glissaient des Espérances en deuil.

Aux heures du regret, nul ne sera oublié de ceux qui seulement vous ont dit une fois : « Voulez-vous que je vous raccompagne? » Mais ceux qu'il avait vraiment aimés étaient auprès de lui comme jadis : celui qui avait du cœur, celui qui avait des nerfs, celui dont il n'ose rien affirmer. Ils marchaient sans bruit. L'allée n'était pas assez large; ils foulaient le lierre et le gazon en marchant.

Ces morts dans un jardin, cela fait un épisode banal dans un livre, mais les avoir vus ainsi, c'est affreux.

Il les savait en garde, lointains, bien échappés de lui. Il se savait exigeant, ombrageux, irrité déjà de leur premier mot. Or, ils se taisaient; il s'en blessa davantage. Alors, carrément, avec cette franchise qui est moins chez lui vertu que paresse (tout ce qu'elle simplifie !), il s'accusa.

A celui qui avait des nerfs il dit : — « J'ai eu tort, me plaignant de ce qui était mon œuvre. »

A celui qui avait du cœur : — « J'ai oublié que plus on se ressemble moins on se comprend. »

A celui dont il n'ose rien affirmer il eût dit : — « J'ai trop craint que tu ne te détaches », mais cette parole ne fut pas prononcée.

Enfin, aux trois :

— Je vous ai passionnément voulus plus affranchis de ce qui est sans importance. C'est vrai, cela est très mal.

Ensuite, pressentant leurs attaques, il se loua : la louange lui est nécessaire, une atmosphère d'impunité.

— Aux moments où j'ai eu de l'empire sur vous, n'est-ce pas que vous avez été doublés? N'est-ce pas qu'il me fallait là pour te faire vivre, toi qui avant moi, après moi, n'as pu que vivoter? N'est-ce pas que j'ai été injuste à votre profit? Que vous avez passé avant tant d'autres qui m'aimaient combien plus que vous? Oh, comme j'ai été injuste !

Il eût voulu crier encore, sentant bien que, tout compte fait, on avait plus souffert de lui qu'il n'avait, lui, souffert des autres : « Il n'est pas vrai que je n'aie pas souffert ! Je sais la bouche contre l'oreiller, la dépression des pleurs dans la poitrine, les yeux remplis de larmes comme des coupelles remplies de plomb en fusion ! » Mais il se contint, et conclut :

— Aujourd'hui, dans les mêmes circonstances, je n'agirais pas autrement.

Parole toujours grave. Parole qui n'est pas sans misère, parce qu'elle prouve qu'on n'a rien acquis; sans noblesse, parce que défendre son passé attaqué est tel que défendre un être qu'on aima. Parole tentante, trop tentante : on accrédite ses actes d'aujourd'hui par cette confirmation de ceux d'hier; on confond les éternels : « Vous verrez, vous changerez ! »; on crée autour de soi de délectables repentirs : « Ah, si je l'avais mieux compris, plus pris au sérieux ! » C'est déjà cette petite comédie ingénue qui est au fond de presque toute constance, et fait qu'il n'y a de vraiment fidèles que ceux qui un jour cesseront de l'être.

Or, au moment qu'il prend le parti de son passé, André en connaît le total échec. Ce passé, c'est de bout en bout, au sein d'un navrant gaspillage de dons, un épanouissement qui des milliers de fois avorte. En majeure partie la faute des autres? Sans doute, mais aussi la leur. Les brouilles, les méprises que multiplie l'endémique maladresse, le génie d'irriter avec cette intolérance sans force, de se faire mésestimer avec cette gaucherie de parole, l'incapacité d'être brefs, les efforts sans proportion, les achoppements sur des choses aplanies depuis des siècles, le faible orgueil (de quoi? de quoi?), cette sorte d'âpreté et cette sorte d'imprudence qui sont des fruits de l'impuissance, le vain don de soi et la vaine candeur et la chevalerie non reconnue, non aidée, et tout ce que trois mille ans de pensée, effleurés en dix mois, peuvent mettre de louvoiements perdus autour des faux visages de la vie : tout le lot de l'adolescence, enfin, tout ce qu'elle porte d'inachevé et d'inemployé, d'inégal et d'incertain, d'infructueux et d'insatisfait, tout, il revoit tout, et voici que dans la même minute il se sent, comme jamais il ne se sentit, prisonnier de la dure aventure merveilleusement belle et manquée.

Eux cependant ils allaient plus vite, du fond des jardins revenaient plus vite, l'entraînaient irrité :

— Où allez-vous? Où me menez-vous? Vers notre cour? Les coups de sifflet du foot-ball, l'hiver, dans le matin contracté... Vers le coin de notre grande crise de *Manon?* Beau soir de mai, promesse!... Poignées de main un peu désolées... Toute la lumière s'effeuillait, on l'eût prise dans ses paumes pour s'en caresser le visage. Des jardiniers abattaient un arbre. On entendait comme aujourd'hui le petit claquement de pattes des tourterelles sur la terrasse. « C'est la première étoile... » La première étoile!

Ses yeux s'agrandirent :

— Timée dit que chaque âme s'en retourne à son étoile...

Sa voix était la voix de celui qui raconte un rêve. Et elle se continuait dans le silence, infiniment, comme sur le corps fragile et coulant de l'eau le sillage d'une barque émerveillée.

— Vers le préau d'*Iphigénie?* Ah! Souviens-toi! Souviens-toi! Sens le collège, autour de nous, comme il bouge, comme il se souvient! « O Zeus, flambeau du jour, ô splendeur coutumière! » La vierge était debout, toute blanche, enveloppée de grâce. (Qu'est devenu ce petit? Il doit être polytechnicien.) Elle étendit ses bras grêles, renversa la tête, et dans ce mouvement ses lèvres s'entr'ouvrirent, ses yeux se fermèrent, comme si elle allait communier ou comme si elle allait mourir. Sous les cils, la cornée et la prunelle furent confondues dans une seule ombre, saupoudrées d'une cendre fine comme si elle était morte. Alors, comme si c'était fini, comme si elle était morte, toutes les vierges la parèrent de fleurs, et la musique s'éleva, suprêmement belle et déchirante comme la dernière musique de la terre qu'entend l'âme en prenant son vol. Nous avons vu cela ! Qui d'autre prétend avoir vu cela? Qui prétend avoir fait cette musique? C'est nous qui l'avons créée, je sens encore dans ma tête cette torture lorsqu'elle luttait pour naître... Nous avons vu cela !

Visiblement, il s'efforçait de les saccager. Il les secouait, les manœuvrait, voulait les voir reculer en désordre, voulait leur faire dire : « Oh non ! oh non ! », très vite, sans souffle, paupières battantes, n'en pouvant plus.

— Vers la cour de la Fête des Jeux? Ce 25 juin, cette journée sinistre... Une grande ivresse de soleil, tragique comme certains éclats de rire, comme certains spasmes de fou rire qui secouent une étude du soir, des milliers de choses épuisées, des milliers de choses à vif, une espèce de joie... Et puis, à la fin du jour... le chœur...

Il fredonna :

Les Allemands devant Mézières...

Horrible corps à corps avec le passé. Il vit l'un d'eux grimacer, comme s'il mourait une seconde fois, et tout ce qui existait en lui se tordit comme un ver dans la flamme. Les larmes tremblaient dans ses yeux, dans son cœur, dans sa bouche. Un fleuve de glace mordait les racines de ses cheveux, ses joues, sa nuque, son dos, ses reins. Et une immense symphonie, une clameur vermeille de buccins et de cors, passait comme un ravage au travers de cet éplorement.

— N'est-ce pas, n'est-ce pas qu'alors tu as songé à te tuer? Ah, ne recule pas devant ton souvenir, ne recule pas ou bien je t'exècre !

Ils fuyaient. Ils fuyaient de telle sorte que le vivant pût les suivre; pourtant ils fuyaient avec la force de la rafale. Fermé, éteint, cuirassé d'oubli, chacun fuyait devant soi. Ils ne se regardaient pas en fuyant.

Et tout à coup la cloche s'ébranla, remplit tout au-dessus de leurs têtes, remplit le monde et le ciel. Des voix montèrent, des portes s'ouvrirent, les études apparurent, ruisselantes de sève, comme des entailles dans de la chair. La vie battait dans l'espace, la vie renaissait dans le grand corps; par l'étude des grands, par l'étude des moyens, par l'escalier principal, par l'escalier de la tourelle, par l'escalier derrière l'horloge, par la classe isolée dans les cours, la vie allait à la rencontre de la vie, tandis qu'au ras de tout cela, égal, strident, assourdissant, l'appel du sagittaire transperçait l'air comme une barre de fer rouge. Alors les ombres s'approchèrent, entrèrent sous le préau. Les vivants et les morts se mêlèrent.

Partout où les vivants voyaient un vide, les ombres étaient là, immobiles, regardant couler autour d'elles le fleuve promis aux bords paisibles. Leurs mains à la dérobée s'attardaient sur l'angle d'un mur, sur la poignée d'une porte, pour tenir de plus près à cette maison, pour donner et pour recevoir. De leurs yeux qui étaient plus grands descendait quelque chose d'immense; et les destinées passaient sous ce regard. « Demain », disaient les voix qui parlent de jeux, « demain », les voix qui parlent de leçons, « demain », disaient ceux qui se quittent; et des rendez-vous étaient donnés, et des êtres en attendaient d'autres ouvertement, et des êtres en attendaient d'autres, voulant leur faire croire qu'ils ne les attendaient pas. Nul ne songeait aux ombres, ne les voyait, ne les soupçonnait. Leur regard même n'arrêtait nul regard. Quand elles mettaient leur main sur une épaule, l'heureux, sans tourner la tête, continuait la phrase commencée. Il n'y avait rien qu'une seule poussée vers le large, un départ universel qui, si simple et quotidien, pourtant suggère à ces enfermés tous les départs vers toutes les îles, un vaste remous où se satisfaisaient au hasard les énergies refoulées des dernières heures, comblant le hall, mordant l'avenue, se répercutant aux parages des Petits, aux lointains où la maison chaste, sur sa voie secrète, elle aussi se mettait à bouger. Et peu à peu, le fleuve s'épuisa; les cris au dehors diminuèrent, s'éloignèrent, ne furent plus. Les ombres restèrent seules. Nul n'avait pris garde à elles. Mais de grandes bénédictions avaient été répandues.

Alors on entendit un chœur de voix seules qui remuait, vacillait, s'envolait : l'office de demain dont on répétait les chants. C'était comme la respiration du divin sur la terre, comme le silence qui insensiblement eût pris corps, comme des guirlandes fraîches coulant des bouches, comme ces oiseaux que les paysans andalous apportent dans les églises au temps de la semaine sainte, pour que leurs chants avec la mélodie puérile compose une gerbe plus touffue de tendresse. La porte de la chapelle était ouverte; elle reste ouverte durant tous les offices de l'été. L'invocation s'en allait parfumer les cours, les cours entraient faire leur prière, la journée entrait, Dieu sous la forme du soleil rentrait par la porte chez lui. Dans le rythme allègre et léger, tous les rameaux des jardins palpitaient comme de petites ailes; l'air vivant courait autour des fleurs vivantes, agile et dispos comme une bête. Au dessus de l'échange limpide, et semblable à un bel arc-en-ciel, fleurissait le sourire de celui qui mourut dans un chant.

Tout à coup, les ombres tremblotèrent, parurent prêtes à s'éteindre. André s'avança, tendit la main vers ceux qu'il aime. Il n'y eut plus que quatre êtres distincts, et qui avaient durement, l'un par l'autre, su ce qu'est vivre.

Celui qui avait du cœur prit la main d'André et la serra, redressant le buste, abaissant les paupières sur ses yeux qui nageaient dans la mort.

Celui qui avait des nerfs — hein, tu grimaçais bien,

tout à l'heure! — mit les siennes derrière son dos et il détourna la tête.

Vers celui dont il n'ose rien affirmer, André n'avança pas la main. Il le regarda; l'autre le regarda. Il eût voulu sourire, donner quelque signe... Il ne détendit pas les traits; s'il les avait détendus, il aurait fondu en larmes : « Mon ami! Mon ami! »

Ils restèrent ainsi. Cela dura quatre secondes, ineffaçables. On ne lisait rien dans leur regard.

Seulement, l'un des cœurs, celui qui avait dit qu' « il n'y a de vraiment fidèles que ceux qui un jour cesseront de l'être », l'un des cœurs, volant par l'espace, disait :

— Toujours.

VI

...mis en musique la vertu.
p. 100.

Hors du demi-jour, seules sortaient les pâleurs des mains, des visages, des genoux; mais dans un rayon du soleil l'abbé maître de chapelle se penchait et se relevait, selon la manière du chant. Tel le diacre Redemptus « émettait un chant de nectar et de miel, célébrant la prophétie par une modulation paisible », tel l'abbé, d'une voix peu haute, soutenait le chœur gracile : candide figure encore lustrée d'adolescence, virginale et virgilienne, avec son visage rose, ses cheveux d'or, ses clairs yeux bleus, lumineuse et balancée au-dessus des têtes comme un tournesol au-dessus d'un parterre. Et toutes les louanges que firent toutes les Grâces revivaient à travers la buée sonore, à travers le souffle de cette précieuse jeunesse, généreuse et nette, nourrie dans les délices : depuis David en face de l'Arche jusqu'aux dix enfants de chœur sévillans (merveille de l'âme) qui, au pied du maître-autel de la cathédrale, et costumés en pages dix-septième, dansent de graves figures adorantes. Ainsi le collège, selon une mesure convenable, faisait des pas rythmés devant Dieu.

Une heure si douce, d'ordinaire, nie l'idée de devoir. Qu'on y est bien et quel repos! On se croirait dans un préjugé. Mais cette fois n'était-ce pas lieu de redire, avec ceux qui prirent place au banquet platonicien, le bel hymne de saint Denys l'Aréopagite :

Un bon cercle est Amour
Qui toujours en son tour
Du bien au bien retourne?

Comme la fleur née de la semence produit la semence, la beauté, née de la bonté divine, produisait la bonté humaine; et c'est d'un collège qu'André reçoit cette justification de la phrase fameuse : « La beauté est le mot de l'éducation »! Ses fruits intérieurs s'ouvraient, pleins du désir de féconder, touchés par ce soleil sans lequel ils fussent restés stériles, et bientôt, — car la vie morale ne souffre qu'avance ou recul — se fussent pourris de cette stérilité. La puissance et la persistance de son rêve, ses souvenirs, ses émois et ses enthousiasmes, les beautés réelles et les beautés nées de ses transfigurations inconscientes ou conscientes, autant d'échelons qui lui furent nécessaires pour s'élever vers la lumière. Puis, leur œuvre faite, disparaissant comme l'échelle qu'on enlève, ils le laissaient sur le sommet atteint, guerrier armé de pied en cap par des Dames.

— « O Seigneur, disait André, appelant sur d'autres têtes

le don qu'appelait sur soi-même Phèdre inspiré du Saint-Esprit, ô Seigneur, donnez-leur la beauté intérieure de l'âme ! » Le bien n'était plus un verbe vague, une idée pure, glacée, stérile, mais une réalité que son contraire brutalement démontre et définit à André : « Ce que je ne voudrais pas que ceux-ci fissent »; et il l'exige comme la condition de sa paix. Le bien n'était plus quelque chose de misérable et de ridicule, infestant le renfermé, en vain rebutant car nul ne songe à l'atteindre, trente fois plus compromettant que la plupart des malpropretés, renié par nos tendances les plus riches, par tout ce que notre expérience nous prouve être le juste, par tout ce que l'histoire et les livres nous offrent de généreux et d'admirable, mais un objet appétissant et glorieux, pourvu de la couleur et du prestige qu'ont par exemple l'ambition ou la cruauté, enfin quelque chose avec quoi l'on aimerait d'être vu; le Bien montrait son visage véritable au jeune homme qui, pour l'enchantement de ses pairs, avait mis en musique la vertu. « Perfectionner, rendre meilleur... » Chers mots immenses et simples ! Ils sortaient de la nuit, ils secouaient le suaire où des prêches imbéciles les étouffent depuis des siècles, la poussière de lamentables manuels où des milliers d'êtres sans ruse boivent un poison dont les effets sont dans l'ordre de l'éternité. Ils renaissaient à la vie noble. Ils étaient pleins de mer, d'oliviers, pleins du soleil qu'ils butinèrent aux lèvres du premier Théologien des Gentils, quand sous leur rosée s'épanouissaient les fleurs des âmes dont il avait hâté le printemps divin, quand la sagesse était belle comme un corps et qu'on tremblait d'amour à son nom...

Brusque irruption du ciel antique. Et automatiquement, de même qu'en face d'un visage trop beau, à cet instant où quelque chose vous avertit que votre joie va se changer en souffrance, il tourna sur les talons et il fuit.

Au fond d'une poussière terne, violacée, couleur pêche

couronnement. Son passé était dans sa main comme une palette où l'on prend des teintes qu'on veut, et néglige les autres, pour brosser le tableau de sa vie.

L'horizon s'était éteint. Des douceurs sortaient de la terre. Sur les rails bleus, les tramways s'allumaient. Les rails s'en allaient tout droit, à perte de vue, dans les avenues sombres.

Mais sur le front du collège s'attardait un faible rayon, auréolaire; le collège semblait se refuser à la nuit. Si bien qu'il était là, seule clarté au-dessus de la masse obscure, comme une offrande de la terre vers le ciel.

Et André lui disait :

— Tu vis, tu te développes, tu te transformes, et de tout cela je ne sais plus rien; je vois du haut de la rive couler les eaux qui ne me connaissent pas. Pourtant, dans mon grand cœur, et averti par ma nature, j'ai jugé que cela était dans l'ordre.

« En effet, à l'inverse de certains êtres, qu'on n'a envie d'embrasser que lorsqu'ils sont très rapprochés de vous, trop souvent, au milieu de toi, quelque chose m'occupe tout entier, une sorte d'immobilité hostile, comme devant une femme qui pleure...

« Mais tout vide qui se fait entre nous deux, superbement je l'orne dans la solitude. Ainsi les malins petits enfants recréent le réel selon leur goût, en s'y ménageant un rôle flatteur; et je puis crier avec eux l'éternel cri de leurs douze ans : « Je l'ai tout fait tout seul ! », car j'ai tout tiré de ce seul cœur qui jamais ne me garantit rien pour demain.

La note grêle d'un moineau tombait toujours égale, comme des gouttes d'eau d'une branche après la tempête, comme une image de lui-même, chantant solitaire auprès des armes déposées. Des autos monstrueuses passaient; leurs phares trouaient le soir de deux cornes de feu; les ombres des arbres se déplaçaient. Alors un meuglement de bœuf monta, par derrière les palazzini du Parc, de ces troupeaux qui passent au crépuscule par les avenues; et il se traînait comme une voix dolente et longue, à travers l'air tiède.

— Certes, elle a été forte, la tribulation que tu me donnas. Mais je bénis ceux qui me battirent, puisque voici les étincelles ! Dieu ! vous voulez que tout vous serve ! Vous m'avez fait une âme difficile et terrible, et beaucoup de place dans cette âme, que rien ne suffit à remplir, et la lumière de ma vie une flamme qui ne s'abaisse jamais, sans cesse à l'affût de « ce qu'elle va dévorer ». Et cependant de tout cela il ne naît jamais que du bien. Elles sont finies, les crises, les erreurs, et toutes les agitations qui me secouaient. L'orage a amolli cette terre, où toute source à présent perce au jour avec un moindre effort, et il n'en reste plus qu'aux roses, dans le creux du plus secret pétale, une grave petite eau douce qui les rend plus odorantes et plus fortes.

N'était-ce pas en songeant à lui-même qu'un jour, dans ce collège, devant un public glacé, il avait déjà parlé de « ces belles vies qui ont leurs saisons, et si parfois elles se fanent, refleurissent plus parfaites » ? Or voici qu'imprudemment appelé, ce bête souvenir d'amour-propre meurtri soudain s'enfla comme une tumeur, envahit tout, étouffa tout. Il vit la salle distraite, les maigres applaudissements, le personnage officiel arrivant en retard, le forçant de s'interrompre...

Il vit la gloire, et ferma les yeux. Tous les succès sautèrent autour de lui comme des flammes. Toutes les louanges vinrent vers lui en courant, comme des femmes dans un ballet. Alors, lui qu'exaltaient les critiques, lui qu'exaltaient les éloges qu'il s'assenait à soi-même, soudain — toujours il va d'un coup à l'extrême — soudain, au cœur de sa gloire, il se sentit une toute petite chose. Et il se replia, se resserra, plus hermétique et maître de soi que jamais; et il glissa, s'évada du filet d'or, ressortit quelques mètres plus loin, dans plus d'avenir, dans ce surlendemain qui devrait annuler demain, cependant que d'incroyables mots lui jaillissaient des lèvres : « Ils sont trop bons. Je ne mérite pas. Demain ils vont s'apercevoir que c'est par méprise... » — la même humilité qui l'envahissait toutes les fois qu'il se sentait aimé. Et là, portant depuis vingt ans son manque de gloire comme une croix d'ombre, il sut qu'à l'heure de sa gloire profondément et sincèrement il la mépriserait, et qu'une nostalgie se lèverait d'elle comme aujourd'hui de son seul nom, nostalgie de la vie obscure, nostalgie de la tendresse, nostalgie de la sainteté. Et il sut que sa gloire n'était rien. Et il sut que, sachant qu'elle n'était rien, il ne pouvait pas, il ne pouvait pas ne la vouloir pas du fin fond de sa force.

Mais il tressaillit. Derrière le collège reculé dans le soir, un long nuage montait, jetait à travers tout le ciel bleu une fabuleuse spirale rose qui venait vers lui, passait au-dessus de sa tête, s'en allait mourir sur la Ville. On eût dit que le grand cœur fumait encore, d'avoir trop brûlé tout le jour, et qu'encore le sagittaire, au profond des avenues, hurlait comme le dernier cri du soleil.

Et André lui disait :

— Bénéficie donc de ce nom d'être que tant de fois je te donnai, afin qu'à ton profit, de même qu'au leur, je me sente le droit d'être injuste. S'il était vrai que je t'aimais au delà de ce que tu mérites (et cela fait peu de doute), je serais assuré d'être fidèle.

« Voici la nuit, mon beau collège. Et demain, ce sera l'aurore. Tes jardins, ton préau, tes cours, la Vierge d'or qui sur ton front fait la flamme de tes grandes pentecôtes, tout se tourne vers l'Orient... Oh, sens-tu quelles choses immenses se font à cette heure dans le monde pour que tu vives?

« D'en haut la grâce descend sur toi : une pluie d'août. En bas une ferveur t'enveloppe : deux bras nus. Et dans le cœur de ce buisson ardent, voici ta vie avec son odeur d'eau.

« O collège! horizon suprême de nos âmes! dans ton parfum, qu'emportèrent les meilleurs et qu'ils nous envoient au passage, chacun de nous, soudain plus faible, croit reconnaître un peu du sien propre. Chaque action profonde, peut-être chaque mouvement profond que tu contins, nous devons croire qu'un jour, mystérieusement et sans que nul le soupçonne, ils auront les conséquences qu'ils commandent. Est-ce qu'un être enfin n'en sortira pas, pour faire avec ton songe plus de divinité parmi les hommes? »

Il se tut, physiquement suffoqué, et n'osant imaginer une réponse. Mais comme, à l'instant qu'il s'éloignait, il advint que passât derrière lui quelque voiture violemment éclairée, il eut le temps de voir son ombre, en s'allongeant, communiquer par les jardins avec le collège, et un grand corps unique, fait du collège et de lui-même, monter rejoindre la Cité du Ciel où s'allumait la première étoile.

Août 1916 [1].

---

1. Voir la note VI.

CONCLUSION
à *la Gloire du Collège.*

Lorsque je m'efforçais, devant ces jeunes gens, d'ébranler leur imagination et leur cœur...

LACORDAIRE.

Que me resterait-il de ce collège sans ces trois êtres? Il n'existe que par eux. Il me garde pour toute la vie à cause d'eux. — Et même s'il n'y avait que toi! Tu retiens à toi seul les douze mois de ce passé qui sombraient, comme l'hercule de cirque les douze chevaux...

Ah! prêtres des collèges, sentez mieux que vos cours d'instruction religieuse et la poésie même de vos rites n'ont pas tant de puissance, mais qu'il suffit d'un savant brisement d'âme pour vous conquérir cette âme pour toujours.

Ces garçons de treize à dix-sept ans qui sont là, jamais ils ne seront à vous comme à présent. Pour beaucoup d'entre eux, ce qui n'existera qu'une fois dans leur vie, c'est maintenant que cela existe : Hermès, dieu de l'adolescence, était aussi le dieu du crépuscule. C'est la première et dernière fois qu'ils ont le sens de la beauté, le désir de la vertu, le goût du divin; la première et dernière fois qu'ils sont capables de souffrir. Ils sont au zénith de leur vie [1]; personne ne les en prévient (ça ne compte pas comme abus de confiance), et, dressés au milieu de leurs parents et de leurs maîtres, ils saluent dans l'hosanna unanime le vaisseau qui leur apporte l'ordre de mort. Heureux seronsnous demain si parfois, pour quelque acte misérable — une façon de tapoter du piano, ou de disposer des meubles,

1. Voir la note VII.

ou de rédiger un rapport, — nous sentons l'âme perdue d'autrefois qui remonte, tremblote et se plaint... Oui, ces gamins de treize à dix-sept ans, cette vie désordonnée et disloquée, c'est le champ de l'action de Dieu.

Tout ce qui est sentiment et inconscience et prescience, tout ce qui est le mystère et la nature, toute la Germanie intérieure, toute la musique et toute la nuit dans la forêt et sur les eaux, Dieu ! voilà ton royaume, le grand vague élémentaire où tu voles de ton vol sans ailes comme au premier jour du monde sur le chaos. L'Église, la doctrine, les pratiques seraient depuis longtemps désertées, si l'homme alourdi par son âme ne s'appuyait à elles les yeux fermés. En vain sa raison rejette : il croit et ne croit pas, il aime, il a besoin.

Le Dieu chrétien dit à la Mort : « Tu es avec moi. » A la Souffrance, à la Peur, à l'Amour il dit : « Vous êtes avec moi. » Il dit à la Femme : « Tu combattras pour moi.» Et puis il appelle l'Enfant, et il entend la voix de l'Enfant lui dire ce qu'elle dira à Claire d'Assise : « Toujours je serai votre gardien. » « Sentiment, inconscience, prescience », miracle ! ils n'étaient pas la charpente, l'Église se tient debout sur les nuées... « Je te remercie, mon Père, qui as caché ces choses aux sages et aux prudents, et les as révélées aux tout petits. »

O prêtres, dans certaines âmes, pour l'amour de Dieu et pour l'amour d'elles, systématiquement, créez de la crise.

II

DEVOIR D'AINESSE ET DEVOIR FRANÇAIS

Un des camarades de Guynemer a raconté que ce magnifique garçon lui jetait en vrac toute sa correspondance, d'innombrables lettres d'admirateurs et d'admiratrices. « *Il ne lisait pas*, dit-il, *sauf les lettres d'enfants, de collégiens et de soldats. Et je déchirais* [1]. » Étonnant témoignage! Le héros ne se lève pas d'une tombe; sa voix descend des airs où vole toujours ce furieux archange. Écoutons-la, cette voix pleine de ciel! Elle dit qu'entre les jeunes vivants et les jeunes morts, entre les jeunes gens au feu et les jeunes gens au coin du feu, entre celui qui sait tant de choses et le petit garçon qui, dans les tramways, même sur les genoux paie place entière, une communauté s'est faite, un ordre est né. Tout garçon au nom français

1. Rapporté par Henry Bordeaux.

a pour moi quelque chose de plus que n'importe qui. Aucun avec qui je n'aie affaire. Aucun qui ne soit un élément de mon ordre, mon partenaire, mon partisan, de qui je me demande : « Que ferai-je pour lui? » La tranchée, le collège, le cercle d'études sont toutes pièces communicantes d'une seule maison morale. Des voix diverses s'en élèvent, mais d'octave en octave elles donnent la même note et font l'unisson.

De cet ordre nous ne sortirons pas. Notre souci français est là chez lui. Or, nous ne voulons pas, d'une chose à laquelle nous nous donnons, qu'elle soit une ligne qui se branche sur la grande ligne, qu'elle soit une fuite dans le mécanisme, qu'elle soit un mot qui se rejette du texte. Où que nous allions, nous sommes inquiets tant que nous ne sentons pas à notre côté les destinées de la France, comme un petit enfant, dans la grande foule, son père.

Et cependant, quand nous cherchons à nous concerter avec ceux de notre ordre, voici que très vite nous nous heurtons. Les morts! Je les récuse comme principe de vie : leurs conseils viennent de trop loin, nous risquons trop de mal comprendre. Les vivants de l'arrière? J'en ai été, ce sont des incomplets. Les combattants? Ils sont trop mêlés à l'action, trop préoccupés d'autres soins, trop chargés de choses; puis je ne fonde pas sur les morts de demain. Mais alors?

Quand on met son cœur contre le cœur de son pays, on entend un monde en marche. Le monde, comme Bélisaire, vient vers nous appuyé sur un enfant.

***

L'homme part. Il regarde son fils, voit les yeux qui s'échappent, voit l'horreur de l'oubli prochain. « Tout cela, dit-il, tout cela, c'est pour toi. » A présent, qu'il s'abatte, nous savons celui que nous désignent ces grands bras morts allongés sur la terre. Le galopin qui traîne ses savates à l'école est plus lourd des temps que nous tous.

Toujours, sur la tête d'un enfant, parce qu'il est plus petit de taille, il y a plus de place pour que des forces tourbillonnent. Mais à cette heure, que je le touche, et derrière lui mille choses retentissent; tout l'arbre bouge si j'effleure cette petite branche. « Eh! me dit-on, ils sont l'avenir, c'est parfait! Mais d'abord vivre! » Je réponds que peu m'importe de vivre si ce que je construis doit s'écrouler avec moi. Le général qui bloque une attaque, l'homme d'État qui signe un mandat d'arrêt ne font pas un acte plus vital que le petit instituteur dans sa chaire, lorsqu'il s'efforce pour que nous ne soyons pas trahis après notre mort.

Chateaubriand reproche aux enfants de ne savoir pas sourire (et moi je les aimerais pour cela seul : *ils n'ont pas le sourire*). Aujourd'hui une autre voix s'écrie : « Qu'y a-t-il de moins intéressant que la jeunesse? On peut s'attendrir sur les possibilités infinies qu'elle couve, on peut faire du lyrisme avec ça, mais quiconque a le goût de la réalité psychologique garde son action pour les êtres achevés, accomplis. » (Jacques Rivière.) Diable! que signifie ceci : des êtres qui, parce qu'inachevés, ont moins de *réalité psychologique* que les êtres achevés? Entre nous, je crois que cela ne signifie rien. Sans doute faut-il n'y voir qu'un mouvement d'impatience à l'égard de cette fadeur dont on a entouré les enfants, comme par jalousie, comme en vue de dégoûter d'eux ces dangereux ennemis dont on pressent l'approche : dignité et raison. Pour moi je reprendrais volontiers le mot de Mgr Dupanloup : « Je n'ai jamais rencontré de personnalités plus profondes que chez les enfants. » D'autre part, le meilleur moyen pour qu'un être mérite notre « attention » lorsqu'il est « achevé », n'est-ce pas précisément de la lui avoir donnée quand il ne l'était pas? Pour devenir un homme de valeur, qu'un enfant doive se sauver lui-même, cela prouve la maladresse de nos leçons, cela ne prouve pas leur impuissance; même, si l'on sait l'effort dramatique que doit faire un jeune garçon qui veut paralyser l'action de ses éducateurs, cela prouve au contraire leur puissance. Et l'heure où nous pouvons le plus serait inintéressante? La mine saute à midi, cela, c'est intéressant; mais à 4 heures du matin on était en train de la creuser, cela, ça n'a aucun intérêt... Non. Ceux qui ont à refaire nos écoles sont les seuls en qui nous puissions vraiment quelque chose. Ne dites pas que cette vie, qui semble avoir été façonnée exprès pour que nous puissions créer en elle, est inintéressante. Ou bien dites alors que l'âme humaine est inintéressante. C'est une opinion qui peut être soutenue avec solidité.

Ces enfants ne sont pas seulement nos héritiers; ce sont eux les vrais héritiers de la guerre. Les conséquences de 1870 sont apparues quinze ans après. Tandis que j'écris, dans des milliers d'infimes vivants, des milliers de choses fructifient en silence; la France, le monde de demain se composent imperceptiblement. Nous poussons avec douleur une sape difficile, dans le chaos et les ténèbres, vers un plein jour ignoré que connaîtra seule la relève du matin.

Mais qu'est-ce qu'une pareille pensée, proférée de haut et dans l'abstrait? Cet aménagement de l'enfance s'accomplit malgré tout au gré du hasard et selon ce qui passe. Qu'est-ce encore que cette parole de l'éducateur, parole indirecte, anonyme? Rien d'efficace qu'inspiré par tel être, et scellé d'un visage. Il faut que le père dans son fils, le frère dans son jeune frère, le maître dans tel élève, chacun de nous dans l'un de ses cadets mette en lieu sûr ses ferments particuliers, se prépare son remplaçant pour s'il tombe.

Avec plus d'urgence que tout autre, le soldat a besoin de se transmettre. Mais ses compagnons de danger le précéderont peut-être dans la mort; ses compagnons à l'abri n'offrent guère de garanties. Alors nous voyons disparaître insensiblement ce qui séparait les aînés de leurs cadets, ce manque d'intérêt qui fait qu'un petit garçon, par exemple, donnera toujours aux quêtes pour les blessés, réfugiés, etc..., de meilleur cœur qu'à celles pour les orphelins. Il n'y a plus solution de continuité. Comme l'enfant de 1914 a grandi peu à peu, averti de son destin, mêlant les baccalauréats et l'entraînement militaire, se préparant à la vie ensemble et à la mort, passant sans arrêt, sans rien savoir du monde, de la communauté du collège à celle des camps — extraordinaire époque qui marquera tous ceux qui lui survivront, — ainsi le soldat et l'enfant se continuent, se pénètrent par leurs profondeurs, font une seule coulée d'âme. Si je reviens du pays du front, du face à face avec ce qui compte, eh! ces garçons, mais c'est ce que je viens de quitter. Je tiens la note et je donne le dièse.

(La tristesse, la grandeur de cette pièce de vie sans couture! Le rythme qui chaque année, déchirant d'ordre, pousse une nouvelle vague d'adolescence sur la ligne de feu, ce rythme, hélas, proprement vital, il est pris dans le mouvement qui, à temps marqués, ramène l'Océan sur la grève, ramène la sphère contre la sphère : il est celui-là même qui, à l'heure où j'écris, lève le régulier avril sous mes fenêtres. Jeune respiration de la France, partie de la musique universelle!)

Dans le dialogue qui clôt ce livre, pendant qu'Antonin, conduit par Gérard, s'élève jusqu'aux cimes intérieures d'où il aperçoit un lac radieux qui est pareil au premier embrasement de l'humanité, sans cesse il se sent monter et descendre le long d'une échelle de Jacob qui va des plus petits jusqu'aux aînés de ses frères, parcourir toutes les couches montantes de sa race. Est-ce diffusion de soi-même? Non, lucide et sage comme toujours. Pourquoi hésiterais-je devant cette image? Comme le joueur qui *y est* dans ce jeu de garçons nommé « la quille », tandis qu'il semble s'abandonner il est tout serré et tendu, tandis qu'il semble tomber à droite, à gauche, il est entouré de toutes parts et reçu par ceux de son ordre... En vérité, un soldat causant avec un enfant, dans un mâle sentiment de ce qu'il fait, beaucoup de grandeur peut tenir dans cet étroit cercle. De tel de ces entretiens, on lira plus loin une sténographie. Je serais tenté d'en demander l'affichage. Je l'imagine brûlant dans le temple parmi les paroles de nos grands hommes. C'est la Nation qui est la vestale, et elle courbe a main devant cette petite flamme.

Tandis que, sous le figuier, le pécheur Augustin lutte contre l'Ange, une voix d'enfant monte d'un jardin voisin, une psalmodiante voix d'enfant qui chantonne un refrain d'école, et soudain Augustin se désiste dans les bras durs; tout droit, comme un ballon lâché, quoique avec une vitesse bien plus grande, l'Ange et Augustin s'élèvent dans l'air. De telles voix, je l'atteste, elles courent, circulent comme des filets d'eau sous les portiques de tous nos collèges. Une fois de plus, les deux mondes se rejoignent et c'est pour nous proposer l'enfant comme un donateur : ceux qui, dans les frises, portent la ciste avec les fruits mystiques, aujourd'hui nous offrent le pain bénit. Au-dessus de cette voix des hommes, par trois fois la voix d'un dieu, en trois textes immortels, nous met à l'école des écoliers.

Par sa générosité, son passionné sérieux, sa prodigieuse puissance de rêve et de création, son respect des choses de la vie, son instinct presque infaillible de l'aristocratie, sa foi dans les êtres, son sens du bien et du mal et sa foi dans le bien, par la noblesse infinie de la souffrance intellectuelle qu'il peut nous causer, par ses manques même qui nous sont autant d'excitations à l'effort, enfin par tout son éclatant génie, l'enfant est pour nous à la fois un metteur en œuvre et un metteur au point : mon second dans la réalisation de moi-même. Et cependant il me semble que s'augmente encore, en ce jour, cette grande dette que nous avons envers lui.

Quand, *sans que je le veuille*, auprès d'un enfant, tout ce qu'il y a en moi de mauvais et de factice reste au fond, se refuse aux lèvres, à tel point que mon sens moral peut s'éteindre, cet enfant à mes côtés par sa seule présence fait l'épreuve de mes actes; quand *volontairement*, auprès de lui, je fais un choix, renonce à certaines expressions de moi-même dont je ne distingue pas assez clairement quels fruits elles porteraient dans une nature autre que la mienne; quand ma langue s'adapte, s'efforce de serrer de plus près ma pensée afin d'en dégager la ligne à un esprit simple; quand j'aborde cet être, non pour les sottes relations du monde, ni même celles où l'on échange avec feu des idées, tandis que les âmes s'ignorent et s'indiffèrent, mais pour travailler et créer en lui selon son bien; — ne reconnaissez-vous pas que l'attitude où cet enfant me dispose est en tous points celle que nous devrions avoir à l'égard de la société? Tout vient des êtres. Il y a des années, ma manière d'être avec les enfants, tranchant sur le reste de moi-même, préfigurait jusqu'en d'infimes nuances ma manière d'être actuelle avec les hommes, telle que, depuis lors, je l'ai vue se composer trait par trait...

Je parlais de Bélisaire; où mon guide me conduit-it ? Je tends les bras et je trouve la France.

TROIS VARIATIONS SUR LE THÈME :
MAITRISES

LES ATLANTES
VOIX DANS LA DIRECTION DE L'OMBRE
LES ENFANTS DU MATIN

LES ATLANTES

JE me trouvais un soir d'avril au cœur d'une de ces cités de jeunesse qui portent le mot « patron » dans leur nom, ce qui suggère qu'elles cherchent à être des ateliers spirituels. Et tandis que le printemps mettait au dehors sa feuille puérile et sa bouche intacte, et qu'une ombre faite de soleil dilué coulait par la galerie du cloître comme sous les cils de la maison recueillie, j'écoutais dans la chapelle, toute chaude du mouvement de l'Office, les garçons de la maîtrise qui chantaient.

Ils chantaient seuls; celui qui tient l'harmonium est au front. C'étaient de ces cantiques populaires, plus doucement impérieux qu'aucun oratorio, parce qu'ils ont beaucoup vécu, comme la plus impitoyable est la valse « du temps de l'Expose », qui traîna de l'aile sur trop de tendresses, comme le regard d'une femme souveraine et finissante, trop de souvenirs trop beaux le chargent, d'une essence si concentrée une seule goutte vous fait un grand parfum dans le cœur. Et les âmes toutes ensemble avaient glissé au silence on eût dit par un agenouillement, et elles se penchaient sur leur silence, détachées de la mélodie banale, comme sur le souvenir d'un bonheur éteint.

J'étais touché de voir comment, malgré le chant attentif, tous les manèges gamins se poursuivaient par les rangs de la maîtrise. Celui-ci, mains dans les poches, dos au pilier, chante avec désinvolture en regardant autour de lui; celui-là, sans cesser de chanter, pouffe de quelque bêtise très bête et donne des bourrades sourdes à son voisin; celui-là, plus jeune, qui réellement ne peut pas rester tranquille, balance des jambes sans repos et fait une trépidation de machine avec ses poings; et celui-là, si voluptueuse est la discipline chorale, si voluptueuse la conscience que « ça va », celui-là sourit en chantant. Seul manque ce diable d'angelot vraiment pas sérieux, qui, dans je ne sais quelle toile d'Ombrie et entouré du plus beau chœur céleste, rit gravement d'un oiseau charmé. Mais rien, ni ce banc trop agile sous l'action de sournoises poussées, ni les mouchoirs sur ce banc pour préserver les genoux nus, ni ce menu raclement de gorge pendant la pause, ni ces mains qui battent tout bas la mesure, ni ces têtes qui battent tout bas le silence (tant de bonne volonté chez des êtres si jeunes!), rien ne m'atteignait à la façon de ces petits mots en sourdine, courts filets d'une eau gentille au-dessous de la forêt musicale : « la brute!... imbécile!... idiot!... », les mêmes que chuchoteront de mêmes enfants, avec les mêmes rires, tandis qu'ils chanteront le *De profundis* pour moi.

Ainsi donc, me disais-je, chacun ses petites affaires, sa personnalité distincte, et puis en même temps l'œuvre commune. J'évoquais l'abbé maître d'ici, le vieux légionnaire aux yeux de pervenche, non pas seulement Esprit du Lieu, mais vraiment Force, mais vraiment Souffle qui va en brûlant sur le plancher comme les feux follets sur les rivières, celui dont un garçon de douze ans, à l'issue d'une de ses allocutions, m'a dit cette phrase emportante : « On ne voyait plus son corps. » Je l'imaginais, sous le regard de ces jeunes hommes qu'il avait accouchés à la vie pleine, fixés au mur en leur apparence temporairement anéantie, égaux dans des cadres égaux, égaux dans la mort par l'honneur comme dans la vie par leur race interne. Je réentendais sa parole, sœur des sentences morales inscrites sur les arcades du cloître, comme jadis sur les hermès : « Dans l'enfant, dans l'adolescent, nous cherchons à éveiller, à faire grandir, à conduire dans le sens vrai de sa nature et jusqu'à son développement le plus haut l'homme tout entier. » Et voici qu'en même temps, pour inspirer le second terme de ma formule, « l'œuvre commune », pour donner à la racine robuste et à la tige nourricière que sont l'idée, la fleur de l'image qui fait naître l'amour, les quinze fragilités chantantes, sous mes yeux, prenaient un ton plus pathétique. Car, privées toujours du plus faible soutien sonore, elles chantaient à présent un chant nouveau, et c'est un chant plus difficile qu'elles chantaient. Ainsi voletait éparse, par la ligne bougeuse des minces profils, une anxiété menue, comme une petite âme indécise.

Ce n'était pas cet instant brutal des exécutions solennelles, quand l'orchestre est là. Aspirés par le vent de l'archet, les violonistes donnent des coups de leurs fronts, sont des béliers qui se battent pour la vie; ceux de l'alto arrachent la corde avec fureur, et puis ils plongent tous ensemble, sont des faucheurs dans un champ; le maître possédé, par-dessus la houle des têtes, est un vaisseau en détresse; les voix claires et les voix graves sont les lames de la mer, qui se poursuivent et se chevauchent et reprennent enchevêtrées; et sur tout cela passe avec le sublime une âme contractée et cruelle, le déchirant dieu musicien, tandis qu'au milieu du grand vacarme le plus jeune des enfants a presque peur, et on voit ses yeux virer à droite, à gauche, comme ceux d'une petite bête effrayée. Cependant les garçons donnaient toute leur force : si frêles, et cet élan terrible ! Les veines des cous saillaient ; les teints s'aoûtaient, brûlants et mats ; les épaules se soulevaient à temps plus rapides ; les langues furtives, entre deux notes, humectaient les lèvres ; les joues en se creusant mettaient à certains visages un masque passionnément vieillot et consumé ; les sourcils crispés se haussaient avec le même accent douloureux et aigu qu'avaient ces voix ; et ces voix aiguës et douloureuses, et cette tension avec cet épuisement, et cette vie trop forte dans ces corps inachevés, tout cela faisait une sorte de maladie, quelque chose d'extrême et de triste qui donnait la fièvre. La chapelle était un seul cœur, traversé de choses fugaces. La musique agitait d'âme en âme la déroute lumineuse et légère des cierges. La chapelle était un seul cœur.

Plus d'un parmi nous, alors qu'il se trouvait au front, avait rejeté avec impatience cette maison, comme une niaiserie, peut-être, et un mensonge. Et voici que, passé le seuil, nos noblesses reprenaient courage ; nos voix dans cet unisson ne nous faisaient plus peur. De ce lieu clos où la Vie Meilleure avait subsisté, intacte au milieu de l'immense barbarie, — comme dans le parc de Yellowstone, au milieu de l'Amérique moderne, sont préservées la flore et la faune des anciens âges, — de ce réservoir de grâce, il semblait qu'en cette heure un tumulte de vie refluât sur nous, qui battait par le battement de cet encensoir jeté et jeté vers l'autel ainsi qu'une obsécration opiniâtre, sortait par ces quinze inconsciences et jaillissait en prière avec le chant. Et n'était-ce pas lui que je voyais suspendu, touchant leurs têtes, énorme et constellé comme un rêve ?

Ou bien, puisque le chant n'était plus une effusion naturelle des corps (la fumée de ce pain d'encens), mais le dur fils de leur labeur, attesté par cette sueur, par cette âpreté, par ce seul sentiment qui leur restât, celui de s'épuiser et de perdre souffle, était-ce l'œuvre musicale qu'ils construisaient à travers l'espace, figée en matière dans son envol?

Ainsi expliquais-je l'illusion. Mais je savais, au fond, je savais! Je savais le vrai nom de la cité silencieuse que soulevaient ces minces atlantes, comme les minces colonnes du cloître l'édifice, et ce nom n'était pas « Objet d'Art » mais « Avenir ». Je savais qu'un jour, resserrées autour d'une règle pour l'œuvre unanime, ces têtes se toucheraient de nouveau; et qu'un jour circulerait d'un corps dans l'autre ce même courant cordial qui faisait d'eux une masse et une âme, sur ce bois et sur ces bancs; et qu'un jour, sous le poids terrible, encore une fois ils seraient seuls, encerclés par l'anxiété des regards comme par une barrière d'étincelles... Je savais! Nous savions!

Or, il y eut une minute merveilleuse où quelques-uns d'entre nous autres, qui n'étions pas là pour nous laisser vivre, soudain nous nous sentîmes augmentés de plus encore que la responsabilité de ces êtres. Leur avenir qu'ils soulevaient fut nôtre et pesa sur nous; leurs misères, leurs manques, leurs méprises, et les visages dans les bras repliés, et tout ce qu'il y a de mal gardé dans ces cœurs, toutes ces choses furent nôtres et pesèrent sur nous; et le remords pesa sur nous de toutes leurs fautes, comme si c'était nous qui les avions commises, au point que certaines dont nous n'avions pas connaissance nous furent par là mystérieusement révélées. Et ainsi, avec tout cela, nous nous trouvâmes très lourds d'eux. Un poids de vigilance, un poids d'inquiétude penchèrent le triste appui de notre faiblesse, celle qui se connaissait sur celle qui ne se connaissait pas; toutes les phrases que nous avions à leur dire, nous ne pûmes plus les concevoir que chargées d'une violence sourde comme par une supplication brûlante. Et tels s'engagèrent, quelles que pussent être les minutes les plus intenses de leur destinée, à ne renier en aucune d'elles cette minute-ci ; et tels trempèrent en esprit dans le fleuve solaire leurs mains prêtes à des façonnements sacrés, pour sanctifier toutes les possibilités profondes dans ces pouces et dans ces paumes ; et tels qui étaient les meilleurs s'angoissèrent s'ils retrouveraient demain en eux-mêmes toutes ces bonnes choses qui y tremblaient aujourd'hui. Il y eut de la sorte beaucoup de mots qui furent prononcés tout bas, qui étaient des mots comme les autres, bien impropres, tellement pauvres, — mais ils remuaient très loin de grands espaces, comme ces menus frissonnements qu'on voit à peine à la surface des lacs, et pourtant il y a dans le fond une vie énorme, une émotion qui jamais ne s'arrête...

Beaucoup de mots qui furent prononcés tout bas.

Avril 1916.

VOIX DANS LA DIRECTION DE L'OMBRE

Le premier Jeudi Saint de la guerre, à la Trinité, — église qui, au-dessus d'une Vierge, de deux anges et de trois enfants, se mire dans de l'eau. De la cantoria latérale, la Manécanterie chante en faux bourdon le *Qui Lazarum ressuscitasti*. Une voix jeune alterne avec le chœur ; une odeur d'encens avec une odeur de roses (quelles roses?) fanées.

Les galeries fuyaient en montant comme dans un ciel de Véronèse. Un vitrail jetait par l'église un arc-boutant fait de lumière, et les anges du chant, comme ceux que vit Jacob, descendaient le long de cette splendeur. Mais le soir délicatement s'accumule. Je ne distingue plus des chanteurs, reculés sous leur balustrade et dans l'ombre, que deux formes à mi-corps, où sont sertis de vagues reflets : celle du petit soliste, celle d'un jeune homme qui se penche au-dessus de lui, si long et si incurvé qu'il est au-dessus de lui comme est l'abat-voix de la chaire au-dessus de celui qui prêche.

Hiéron m'enivre avec sa coupe décorée (à Vienne, je crois). Vingt-trois siècles à l'avance, c'est la toile de Balestrieri, ce *Beethoven* vulgarisé par la gravure. En face d'un enfant citharède, au cœur de ce temple invisible que dressent les projections de son âme ensemble avec les esprits musiciens, un adolescent soutient à pleine paume sa tête bouleversée. Il est là et il n'est pas là. Il a bondi hors de la vie comme le soldat hors de la tranchée. Et si le maître écrivit le mot *kalos* au flanc de ce bibelot, — où un art « inexpressif » atteint avec deux minces silhouettes de teinte plate à une magnifique vigueur de passion, — c'est moins, je pense, pour rendre hommage au citharèdc que pour se signifier à soi-même, comme fit le Père au septième jour : « Ce que j'ai fait est beau. »

Je songeais à cette scène, en devinant les deux aériens, très haut dans le mystère de l'ombre et dans celui des voisinages célestes. Mais le fer a fauché les violettes athéniennes, l'abîmé d'hier s'est fait athlète. Comme l'abat-voix de la chaire au-dessus de celui qui prêche, ainsi au-dessus de l'enfant. Il l'encadrait. Il faisait un avec le système de cette vie et de cette voix; eût-il reculé d'un mètre, que la voix, semble-t-il, se fût brisée net. Et de même l'eau hors les arroseurs en demi-arc sur le gazon qui pousse un cri, de même la force du créateur pleuvait hors le demi-arc de son corps au travers du champ flagellé où le dynamomètre eût fait un bond.

O dur et douloureux enfantement! La voix naissait : une si extraordinaire chose qu'une voix de treize ans (qui occupe si peu de place) soit seule dans toute une grande église! Elle naissait, elle montait, pure comme un rayon de lumière, mais fragile, et manifestement sans défense, et si nue qu'on en avait de la gêne, la crainte d'être indiscret. A l'oreille on l'eût crue venue du ciel, mais à l'âme, ah! c'est bien de la terre qu'elle venait, et c'est la nuit terrestre que signifiait cette aggravation de l'ombre dans le creux où elle prenait corps. Toujours même était la phrase en ton mineur, déchirée mais renaissante, belle comme par une volonté tenace de ne désespérer pas de sa vie. D'abord une note quatre fois redite, avec une faible accélération suivie d'un faible arrêt, comme lorsqu'on prend son élan; puis la voix se soulevait dans un cri, car c'était un cri lourd, qui faisait effort, qui soulevait quelque chose, son poids de chair peut-être, qui était moins un cri qu'une plainte telle qu'en ont les malades : elles leur échappent malgré eux, et pourtant en s'échappant elles leur font mal. Puis elle cessait. Ce n'était pas un temps pour regagner force, c'était la disparition de tout ce qui existe, toute l'âme qui s'est arrachée, qui est partie dans ce cri trop grand, et il n'y a plus rien. Et la voix revivait enfin, plus basse, un oiseau qui a été blessé, qui se renvole avec le plomb dans sa gorge, tente de reprendre l'espace, volette trois mètres en rasant le sol; et puis ses ailes tombent, il tombe, tout se tait.

Elle souffre, me disais-je, elle souffre! Cette autre confrérie où ne chantent que des orphelins de guerre; cet ami qui jusqu'à quinze ans, m'avoue-t-il, n'eut pour se décharger que son journal et ses soli de chapelle; ce premier mouvement d'un cœur d'enfant qui est beau comme toute l'intelligence humaine, je songeais à tout cela, et mon cœur à moi se mettait en marche. Mais en disant : « Elle souffre », je n'affirmais rien que moi-même, car je savais qu'elle ne souffrait pas. Je savais que, si la « voix d'enfant de chœur » contient effectivement de l'angoisse, c'est surtout l'angoisse touchante, mais enfin très simple, de l'enfant de chœur songeant au couac; je savais comment, ne voyant rien à la vraie richesse de l'enfance, en revanche nous lui en prêtons une qu'elle n'a pas. On a cru tant de choses et il n'y avait rien. On leur a voulu tant de choses et ils seront de pauvres gens comme les autres. Et dans tout cela, comme dans le reste, on n'a découvert que ce qu'on y avait mis.

Et pourtant, de l'angoisse... Bien que si nue elle ne tremblait pas, et si improbable, et si pleine de choses faillibles. Elle ne tremblait pas, seulement il y avait en elle ce quelque chose d'inachevé qu'ont les dessins où l'artiste laisse, aux entours du tracé final, les premiers traits de sa main qui se cherche. Elle ne tremblait pas, seulement il y avait en elle quelque chose comme l'imminence d'un tremblement. Elle était une âme qui à cette heure se trouve être propre, mais vienne la première occasion et vous verrez quelle misère c'est; un jet d'eau droit et dru, mais là-haut, à son point extrême, on dirait un cœur tant cela frissonne; la flamme de gaz des faux-cierges aux coins de cet autel, merveilleusement immobile et pareille à une feuille de métal, mais il y a une petite frange, au-dessus, qui vibre et vacille sans repos. Ainsi ce n'était pas la voix qui tremblait, mais autour d'elle cette chair de l'espace, qu'elle transperçait avec sa lame, et plus loin les âmes bien atteintes, et plus loin, au-dessous des âmes, au-dessous du peuple noir incliné, cette nappe souterraine de souffrance où, durant le temps des pauses, elle refaisait son plein de vie pour le jet nouveau.

Ce peuple noir n'était pas à genoux; mais dès l'instant que la voix fut entendue, toutes les têtes s'étaient inclinées, en apparence pour une meilleure écoute, en fait parce que, quelque part, la beauté levait une hostie. Or, en bas sur les dalles comme là-haut dans la tribune, un enfantement semblable se consommait. Ce thrène, est-ce un chant de coq? Cette pure petite langue de feu, n'est-ce pas la colombe ardente? Elle naît, tout s'éveille pour un travail; j'ai tourné le bouton électrique; on croirait la brusque introduction d'un beau désir dans un jour morne. Ah, c'est que, songez donc, avec ce manque voilà qu'il faut se faire une richesse!

Spectacle bien dans l'ordre que cette exaltation de la personne humaine, dans la maison de celui qui nous a demandé d'être *parfaits*. Une multitude transfigurait, sentait dans un chant gémir toute la douleur du monde, parce qu'elle-même était mal à l'aise de trop craindre que ce chant se fêlât net. Les choses étaient recréées. Un système plus beau prenait lignes au-dessus d'un système qui s'efface. *Novo cedat ritui.* Et j'entendais l'écho de la grande parole de l'Évangile : « Je suis venu pour que votre vie fût plus abondante... »

Non, la voix n'était plus d'un gamin décevant et indigne. Ce qui montait, c'était l'appel d'une foule de femmes et d'hommes, écrasés d'impuissance et se heurtant de toutes parts, de toutes parts sauf à ce grand ciel vide où ils s'élançaient avec folie, implorant afin que des mortels ne mourussent pas. O jaillissement de notre souffrance! disaient les pauvres âmes prises par leur œuvre, telles le sculpteur que soudain terrifia le dieu d'argile encore chaud de ses paumes. Elles étaient là, sans soulagement de ce que cette souffrance fût ainsi exprimée, car elle l'était par un autre qu'elles-mêmes, en souffrant davantage, au contraire, parce qu'à l'entendre si affirmée il leur semblait qu'elle était créée à nouveau. Tendues et tordues, comme renversées dans une vague attente, elles atteignaient à ces extrémités de la sensation où la beauté donne le malaise, où le plaisir a le goût de la douleur, l'adoration de la haine, le désir du dégoût : ainsi doivent se confondre les formes, les sons, les couleurs, à mesure qu'on approche du soleil... Quand la première note de l'orgue mit un point final au chant, un mouvement léger, de toutes parts, signala une large reprise de souffle, une délivrance universelle. Et on vit derrière un vitrail, dont une brisure laisse passer les oiseaux, deux petites ombres qui s'envolaient.

Avril 1916.

LES ENFANTS DU MATIN

La main du maître de chœur s'abaisse. A-t-elle penché une urne invisible? La mélodie coule, remplit le silence. Un écrin enchanté s'envole à travers le ciel. Le monde s'élargit comme une immense corolle, comme un paysage à mesure qu'on s'élève. Elle s'envole pour une heure, cette chapelle des Bénédictines où les enfants de la Manécanterie, dans le grêle matin de décembre, réjouissent avec des chants leurs morts.

C'est un petit cœur bien clos; il ne s'y perd pas de grâce, ou à peine. En trois minutes, le voilà possédé par les Rêves. Qu'est-ce à dire, au premier rang des chaises! Le poète y penche un visage brûlé vers les infiniment petits du prodige. En demi-cercle, les profils perdus s'offrent et se dérobent, à la façon d'une âme que je sais, un peu fière. Tout près, les mains jointes d'un agenouillé plongent jusqu'au poignet dans une descente de soleil, comme si Dieu, sous la forme apollonienne, voulait faire un signe sur ce geste. Plus loin, les faces pâles des hommes, jaillissant seules de l'ombre ardente, ont été vues quelque part sur le bitume d'une toile ancienne; l'un d'eux rive son regard dans les yeux du chef de chœur : si on les photographiait sur la plaque spéciale, on distinguerait d'un visage à l'autre les lignes de force, telles que les photographia Giotto lorsqu'elles portent à Saint François les stigmates. Et ces verts et ces rouges de vitrail effeuillés sur les traits éphémères; et la clarté posée aux bouches ouvertes sur la lèvre inférieure qu'on voit luire; et la poussière des bancs qui veloute les genoux nus, fine, lumineuse, pareille à un reflet, toutes ces apparences légères, ces ailes, cette grâce improbable, toutes ces choses vaines et charmantes peu à peu ont l'air de se mettre à bouger, comme bougent lorsqu'on les regarde fixement les bosquets de cierges... S'il est vrai que de toutes les étreintes sourdent des esprits où elles puissent se blottir — la nuée qui sortit de Zeus pour envelopper son embrassement, — n'est-ce pas qu'ici l'esprit du chant, tremblant comme une vapeur autour de ce grand acte d'amour, le renfonce dans une vie mystérieuse?

Car elle est là, cette création de beauté. Là, face à vous, de l'indépassable! Le plus humble sent qu'en cette minute une forme de la vie, lui fût-elle indifférente, est réalisée dans sa perfection, et que cette ligne du chant, qui ondule et se referme, arrête quelque chose d'accompli. Et pourtant, nul vertige. Pensée, rêve, prière, contemplation, votre vie intérieure coule au-dessous de cette nuée sonore, comme sous les nuées du matin coulent les eaux qui ne plient pas. Comment utiliser l'état de grâce de ces vingt âmes chantantes, aussi réel et disponible que la force d'une cascade ou du vent? A quel point cette gossaille, arrachée à des soins misérables, est-elle consciente de ce qui vient à l'être par elle? A quel point sont-ils davantage que les tuyaux d'un *organum* vivant? (Hier, tandis qu'ils solfiaient avec un unisson si exact, j'imaginais un orgue fantastique dont les vingt tuyaux humains poussaient l'air par ces vingt bouches ouvertes : tel qu'on croit l'avoir vu dans quelque planche d'un vieux maître allemand.) Ainsi mille curiosités se lèvent de moi, et puis, sachant que parmi ces enfants du peuple se trouvent quelques enfants de famille aisée — comme jadis, à la chapelle pontificale, la schola cubiculaire mêlait des fils de nobles aux *minores,* — je poursuis sous les petites cagoules uniformes, à la qualité des traits, des mains, des cheveux, les passionnantes malices où se plaisent le milieu et la race.

Et les voix montent. Dans cet air abreuvé d'âme on dirait qu'elles touchent plus profond, comme va plus loin l'odeur d'une rose quand elle se dilue dans un air mouillé. Le plain-chant mollit, se redresse, se dandine comme une langue de feu, comme un arbre léger balancé par le vent. Et soudain c'est une projetée innombrable de clochers de cristal, ou de jets d'eau trémulants qui à chaque seconde vont se briser, et j'ai peur, et j'attends, et il est juste qu'ils soient fins et aigus comme des aiguilles puisqu'ils me percent le cœur. Et au delà, comme une tenue d'orgue, comme les voix d'une armée en marche, très loin, par derrière une forêt, les voix des hommes tendent un sombre velours où sinue la dentelle agile... *Descende in hortum meum... Gaudent in cœlis... Passer invenit et turtur... In Monte Oliveti... Duo Seraphim clamabant...* Quelle tendresse dans ce latin d'église! Quel ressort pour le rêve, ces débuts de motet qui s'arrêtent court! Un monument divin s'élève sur ces colonnes coupées. A l'heure où nous célébrons ceux qui tombèrent « avec les louanges de Dieu dans leur bouche et dans leurs mains l'épée à deux tranchants », je crois voir le texte de Samuel flamboyer dans le cartouche sur sa porte : « Montagnes de Gelboé, qu'il n'y ait plus sur vous ni la pluie ni la rosée; car c'est là qu'a été jeté bas le bouclier des forts, le bouclier de Saül, comme si l'huile ne l'avait pas oint. Comment les forts sont-ils tombés dans la bataille? Jonathas a péri sur vos cimes; Saül et Jonathas, beaux et aimables pendant leur vie, n'ont pas été non plus séparés dans la mort... »

Est-ce une impression née de ce fragment, tout parfumé pour moi d'hellénisme? Je crois sentir que spontanément, sans y penser (et combien mieux que par une volonté réfléchie), nous recréons quelque chose de l'âme antique. Dans cette étroite cella, les héros et les morts, la patrie et la divinité, la vie belle et la vie bonne, tout cela confondu et honoré par un même acte; ces voix qui brûlent à la fois sur les plus beaux autels du monde; cette croyance en une harmonie morale édifiée comme une Thèbes par celle des sons; cet art qui est sans passion comme celui qui sculpta les marbres, comme lui immobile et simple, comme lui tellement grave et chaste; cette musique dont tels modes reproduisent les modes de la tragédie grecque, telles hymnes des hymnes célèbres de l'antiquité, un *Lauda Sion*, par exemple, la mélodie de la première Pythique de Pindare... O notes, ô griffes d'or qui soulèvent, avec ce bruit de merveille, la portière pourpre du bonheur! Voici la statue de dieu rebaptisée du nom d'un saint; voici dans l'église de campagne la dalle de marbre et les fondements du temple; voici la voix sibylline, Paul de Tarse avec ses larmes au tombeau du Prophète des Gentils...

Beaux rêves, union sacrée, mais arrêtons-nous. Beaucoup chavirent dans cet équilibre. Vive donc la littérature, et sauvons-nous par des symboles! Ces enfants, chantant pour l'âme de leurs aînés les airs que leurs aînés leur ont appris, c'est l'offrande musicale au mort que sur la stèle fameuse la divine femme donne avec ses doigts sur la lyre; cette beauté arrêtée, c'est la statuette de Tanagra qu'on dépose dans la tombe fraîche, pour que la main raidie sache encore, au contour du petit corps de terre, la douceur des gestes humains.

Et je songe. Un dimanche de mai, dans la médiévale rue Saint-Jacques, j'ai entendu ces mêmes enfants chanter la chanson du vieux Passereau : « Il est bel et bon, bon, bon... » (Quelle allégresse dans leur chant ! Le rythme seul les faisait rire. Tout pourpres, le regard brûlant, leur joie intérieure leur ruisselait au dehors par la peau. Et puis après, en troupe, au coin de la rue, on leur acheta des croissants pour les remercier d'avoir fait de la beauté.) Eh bien, ces jeunes hommes qui les entourent ne peuvent-ils pas répéter avec eux : « Il est bel et bon, bon, bon... »?

Bel et bon ! On parle d'aliments complets. Mais les heures qu'on doit vivre ici, voilà des aliments complets. Admirable concentré ! Art, religion, charité, et le bonheur profond de pouvoir être cordial... Ce manque d'inquiétude ! Nulle peur de cogner à des murs. Combien aisément se balance la devise de l'œuvre dans les mains des trois anges aptères ! *Ubi caritas et amor, ibi Deus est.* « Où sont la charité et l'amour, là est Dieu, là est l'esprit. » Mais lisons de plus haut : *caritas et amor*, c'est le devoir et l'attrait, la volonté et le mouvement d'âme, c'est tout ce qui est raisonné et puis tout ce qui ne l'est pas. Courageux texte qui pose si nettes, si disjointes, les deux conditions de l'acte efficace. Il dit : « Un sentiment? Eh ! mais voilà le plus impérieux des faits ! Vous voulez obtenir *Deus* et n'apportez que *caritas?* C'est essayer une réaction chimique en n'oubliant que l'un des deux corps. »

Ainsi je vois se dégager le second *ethos* de cette musique, peut-être moins discutable que son action morale sur les petits chanteurs ; elle est le moyen par lequel des hommes, sentant leur devoir et sentant sa dureté, l'ont si bien retourné qu'il les précipite.

Et j'imagine... Avoir affirmé tant de fois, affirmé et cru de ces enfants « qu'on reçoit d'eux beaucoup plus qu'on ne leur donne »; par une infinie bonne volonté, par un pieux artifice inconscient, avoir transfiguré toutes ces chétives choses au point de les voir sans cesse illuminées du dedans par l'esprit; avoir fait des plans et pris des notes, et ce temps auquel on arrachait jadis chaque minute, l'avoir offert sans compter, des deux mains; avoir modifié toutes valeurs alentour, recueilli et roulé dans sa tête tant de détails insignifiants, prêté, prêté, prêté tout ce qu'on voulait découvrir; avoir durant des jours attendu, préparé la confiance de ces êtres, couvé ces cœurs pour qu'ils s'ouvrissent, suspendu, oui vraiment, suspendu à ces vies misérables le oui ou le non de son influence sur les hommes, le oui ou le non de sa fierté, le oui ou le non de son bonheur, — et se trouver là, ce matin de mai, dans la gloire légère de la cour, avec ces âmes enfin touchées et qui s'offrent, avec toutes les possibilités qui s'allongent devant vous comme une plaine, et puis en vous rien qu'un bloc inerte, fait de toutes les ardeurs refroidies, rien qu'une immobilité hostile qui regarde et qui laisse faire (ah, l'immensité d'indulgence, dans ce grand en-arrière de l'être!); et tous les gestes d'accrocher, de saisir des occasions, qu'on ne peut pas faire sortir de ce bloc plus qu'on ne peut faire sortir les os de la chair; et toutes les gentillesses et tous les appels qui viennent mourir contre le cadavre qu'est cette petite phrase : « Je n'aime pas »...

Et soudain — j'imagine — voici que l'esprit musicien, ange de Dieu, passe sur le front de ce jeune homme : demain les voix frêles, comme des flammes, se coucheront contre l'antiphonaire. Alors, cette pentecôte! Lampe qu'on allume, chaleur qui coule, « allégresse du monde qui se transforme sous la parole du Christ [1] »... La vie renaît, Lazare se redresse, l'âme, tout à l'heure « incapable de produire, et portant avec souffrance le poids de son germe », à présent « se répand dans sa joie ». C'est que, comprenez-vous, quelque chose d'énorme s'est accompli : ces enfants ont acquis une valeur. Comment ne plus agir, quand ces maigres vies réalisent du parfait? Toute beauté appelle son prix, et nos jeunes gens, vous le pensez, ne vont pas payer celle-ci en joujoux... Que l'on voudrait se pencher sur le miracle, suivre l'épanouissement de cette sympathie, lorsque, chaude et puissante comme une chose qui crève hors de la terre, ainsi née aux sources vives de l'art, elle les dépasse, les oublie, et gagnant et gagnant toujours, plus profonde et plus ample, atteint aux reculées de l'âme et embrasse tous les départements de la vie ! O soirs autour de l'harmonium branlant, mais les pages sont tournées par des ailes ! O départs vers la beauté intérieure, comme vers la splendeur de cette nuit !

Grande leçon, à l'heure où beaucoup (qui s'en passeraient bien) entendent pour la première fois l'appel d'un devoir. Inclinez d'un degré le flanc de la barque qui résiste, et elle fuit sur le courant heureux.

Décembre 1916.

1. César Franck.

LE CONCERT DANS UN PARC

H ! qu'elle était bien douce, la pluie d'automne sur les Jardins du Roi. Les pièces d'eau bruissaient comme si le silence aux mains bleues y avait remué des perles, et le large tremblement d'argent qui descendait à travers les charmilles, on eût cru, en clignant les yeux, l'exultation des mouches d'été dans le soleil. Puis elle a cessé. Mais, dans la solitude d'une heure, le petit bruit des feuilles qui gouttent fait une présence.

Ici, nul de nous qui ne se continue. Moi, comme un lutteur tâte le corps de son adversaire, je tâte la journée commençante : quel bien en tirerai-je pour nous trois? Michel, mon ami, élève aux Beaux-Arts, note des tonalités et s'inquiète de souvenirs historiques. Son jeune frère traîne l'inévitable souvenir du dimanche torride que chacun de nous passa dans ce parc, aux prises avec d'accablants cousins qui lui faisaient faire le tour du propriétaire. C'est un de ces enfants qui croient qu'il s'agit d'eux chaque fois qu'on parle bas à quelqu'un : il ignore ici toute chose, ne promène rien absolument que lui-même.

— Tiens, Gérard, c'est là que Marie-Antoinette...

— Ça m'est égal.

Grand mot, ainsi dit sans lassitude, sans impatience. Serait-ce un : « Je m'en f... », on pourrait croire à la menue jouissance d'être un peu grossier, voire à une scie. Mais ce « Ça m'est égal », si calme, si sérieux et si net, donne une bonne lumière sur son âme : s'affirmer, exclure, à onze ans voilà toute sa fonction. Même, sa formule ordinaire est plus parfaite, avec ses trois temps admirables : *Non* (« Non, ne continue pas, tout ce que tu me racontes est idiot »), *écoute* (« mais voici quelque chose d'intéressant » : et alors les trois mots éternels qui, par toute l'échelle des êtres, le relient aux géants de l'humanité), *parlons de moi*... En un clin d'œil, l'art, la connaissance, la nature, l'histoire, ce petit garçon leur fait toucher les épaules; et le voici, un pied dessus comme un David vainqueur; « Mon moteur... mon avion... Comment! Vraiment? Tu ne sais pas ce que c'est que le gauchissement? »

Il tire un portefeuille bourré, un compliqué petit crayon. Soudain, comme je raille un peu, par cette exécrable habitude qu'on a de plaisanter pour meubler un vide, il me regarde, se tait, rempoche, avec un peu de rouge aux joues. Je ne sais que les animaux pour détester autant que les enfants qu'on se moque d'eux.

Un vent furieux s'est levé. Ah! il y a des choses qui ont dû s'éteindre derrière le ciel. Les bois lointains font le flux et le reflux. Un coup de rafale s'engouffre dans l'allée des Marmousets, frappe le dragon en pleine poitrine, le cabre, bousculant l'air, tandis que, penchés en avant, les génies épouvantés jouent de leurs arcs. D'un même mouvement, par l'eau des bassins, par l'herbe des gazons, des houles fuient, comme les files d'une charge vue d'une hauteur dans une plaine; et les feuilles mortes se poussent toutes dans un coin des vasques qui clapote, tandis qu'au large, l'une après l'autre, sourdent les longues nappes flabellées. Ici, où nous marchons en levant les pieds, elles font sous nous un fleuve qui ne s'arrête pas. Parfois, à un carrefour, cela se soulève et tourbillonne, dans une odeur de profondeurs remuées, comme pris de cette brusque folie qui fait bondir les chats sur les pelouses épuisées des soirs d'août. Puis, calme plat. Mais je sais quelque part, du côté de l'Orangerie, une petite vasque qui doit trembler toujours. A toutes les heures, sous tous les ciels, dans l'air le plus inerte, elle tremble affreusement. J'y songe parfois. Qu'a-t-elle? Est-ce qu'elle est poète? Ou bien est-ce qu'elle sait des choses? Est-ce qu'elle a vu? Est-ce qu'elle croit qu'elle va mourir?

Après dix minutes, Gérard : « Écoute, je cesse de faire la tête. » Explications inépuisables. Je vais sans plus regarder alentour, de peur qu'il ne pense m'ennuyer. Soudain, parmi le menu peuple qui depuis un temps gagne dans le parc, un couple assez élégant nous croise.

— Tiens, voilà des gens!

C'est, depuis une heure et demie, la première de ses paroles qui ne se rapporte pas à lui-même. « Tel bosquet est fermé », remarque Michel, et je songe : « C'est toi qui es fermé. » Mais cet enfant, sitôt qu'il se quitte, va d'un coup vers la vie, vers la matière vivante où il sape, scalpe, piétine, satisfait avec fièvre ses nécessités d'insolence, de vanité et de mépris, tout cela dans un été perpétuel. Car l'étonnant mépris de ce petit mot : des gens! Ceux-ci, parce que bien habillés, sont *des gens*. Mais les autres, pas des gens. Sans doute des sortes d'animaux...

A cinq ans, Gérard classe les passants : « Il est *de nous*.

Il n'est pas *de nous* », selon le rang social qu'il leur assigne. Plus tard, au collège, toujours le premier dans les files, toujours au premier plan dans les photos de groupes, il dirige vingt jeux dont il ignore tout. Au catéchisme, avec une délicate force de résistance, il tient la bouche close au milieu de tous ses camarades qui chantent. Tout à l'heure, dans la voiture, une plaisanterie du chauffeur le laissait de glace, qui répétée dix minutes plus tard par Michel faillit le rendre malade de rire. Eh bien, si nous faisions donner par ce Versailles quelque belle couleur impérieuse à cette petite nature un peu parvenue? (nature qui nous paraît commune chez les enfants, parce qu'ils ne la fardent pas encore.)

Nous venions d'admirer avec quelle magnifique, émouvante aisance Gérard retrouve en se jouant les sources vives de la poésie éternelle. Dans le temps de quinze pas, ce petit ignorant invente — à tous les sens du mot — deux mythes séculaires. Devant la statue de quelque nymphe, verte d'humidité et de la même teinte que les troncs d'arbres voisins : « On dirait qu'elle est faite dans un arbre », dit-il; et plus loin, arrêté par le beau torse musclé de l'aigle qui emporta Ganymède : « Tu ne trouves pas? On dirait un homme. » Cet aigle me fournit un départ. Je leur dis comment, la nuit de mes vingt ans, dans les plus minutieux et plausibles détails, je rêvai que je capturais un jeune aigle... Belle histoire véridique, que jamais je n'évoque en vain. Puis, les retournant vers le château :

— Dans la galerie des glaces, donnant sur le balcon, une fenêtre occupe le centre du chef-d'œuvre. Or, il m'a plu d'imaginer qu'un jour, de ce balcon, devant une centaine d'êtres rares assemblés, devant le panorama splendide, je prononcerais quelques paroles très belles. De la sorte, dans ces lieux où rien ne me parlerait de moi, je ne me perds jamais de vue; dans ces lieux qui nient l'effort, quelque chose me nie le repos. A quelque endroit de ce parc où je m'arrête, vole mon premier regard vers ces trois pieds de bois et de pierre dont j'ai fait le signe de mon ambition humaine, et de ce regard j'exclus et je nie tout ce qui n'est pas mon but, comme toi, Gérard, avec ton « Ça m'est égal », tu exclus et nies tout ce qui n'est pas ton goût.

On me comprend : pas un mot de vrai dans tout cela. Mais ce Gérard, qui à présent suce un innommable *sen-sen* (on l'achète pour manger en classe, « parce que ça vous fait écouter »), tout à l'heure me dira par jeu, chaque fois que nous soufflerons : « Est-ce qu'on *la* voit d'ici? » Il a arrêté l'idée; peut-être l'amusoire d'aujourd'hui avec le temps prendra son sens profond.

Ici, depuis deux heures, nous dégageons au petit bonheur de courtes vérités, des éclats de la statue, rien qui soit large, nourrissant, et toujours en tout cas du rapporté. Cette maigre leçon d'ambition, en la retapant le moins du monde, je l'eusse fait sortir du square des Batignolles; même, ç'eût été beaucoup plus amusant. Et c'est désorienté, insatisfait, avec ce mécontentement intellectuel qui vous casse si durement bras et jambes, que je serais revenu de cette promenade, si nous n'avions rencontré, musant dans les allées du parc, un cousin éloigné de Michel.

Un garçon pareil à lui et à moi, mais qui seulement venait de se battre.

Ce sous-lieutenant avait été brave. Croix de guerre avec palme et étoile d'argent. Nous savions son courage, son sang-froid. Nous savions que ç'avait été quelqu'un : *quelqu'un*, ce petit mot immense, que répètent les plus timorés, sans prendre garde qu'il est le *des gens* de Gérard, — aussi tranchant, cruel, juste.

Il fut longtemps sans rien dire que des banalités sur le parc, la température. Nous lui parlâmes de là-bas. Alors, s'animant : « La tranchée boche?... On entre... et puis allez... » C'était l'accent, la voix trop forte, discordante, bébête des étudiants qui ont conspué on ne sait qui (ils ne le savent eux-mêmes), puis formé un monôme : « Un sergot se jette sur moi, me lance son vélo en pleine poitrine... »

Quel détail nous amena, Michel et moi, à parler du château, des collections? Tout de suite il se tut; plus rien. Nous lui montrâmes des cartes postales de tableaux, de scènes historiques. Il les regarda et nous les rendit sans un mot.

Alors nous aussi nous cessâmes de parler, pour ne pas faire un aparté. Et voici que brusquement se présenta à moi n'importe quelle réunion d'hommes et de femmes dans cette vie normale qui allait être la vie de demain. Ce garçon disait : « La tranchée boche?... On entre... et puis allez... », et une gêne se répandait. Les gens souffraient de lui, ne le regardaient pas, ne se regardaient pas, regardaient le tapis avec un petit sourire fixe : bref, on le trouvait idiot. Et nous deux nous nous taisions passionnément, sachant qu'avec trois mots nous détournions tout l'intérêt vers nous, et repoussions ce héros dans l'ombre.

Poignante constatation. Cette âme-ci a vu la mort, a eu peur, a dompté sa peur; cette main-ci a écrit : « Ma chère maman, dans une heure on attaque... »; ce visage-ci, sous le masque fragile, a plongé un long temps dans le gaz mortel; ce corps a connu une souffrance auprès de quoi, les souffrances morales, c'est fumée, fumée, fumée; cette organisation, selon ce qu'elle vaut, a conservé ou non des vies au jour. Tout cela est, et cependant rien de tout cela ne compense dans la société l'ignorance de cet être sur les questions qu'on apprend au coin du feu, son défaut de « bagage » et de brillant. Sa valeur est une valeur accidentelle, extraordinaire, qui ne remplace pas la valeur courante; sur le marché, c'est presque une valeur non cotée. Le sens de l'admiration, le peu qu'en ont les Français, est-ce qu'ils l'auraient usé tout entier à la petite porte des théâtres, à bayer après la sortie des « artistes »? Il n'y a pas en nous pour les combattants quelque chose de physique, d'impérieux; nous ne leur savons pas gré d'une façon vivante. Et puis, le monde de la guerre est un monde fermé; tout ce que nous leur en disons détonne. Ainsi les parents de Gérard détonnent chaque fois que Gérard leur parle de son collège; alors Gérard n'en parle plus, comme le soldat ne parle plus de sa guerre. Guerre et collège dressent entre un être et les siens un pareil mur, celui du silence, de ce silence si terrible que les anciens, dans leur symbolique, le figurèrent sous les mêmes traits qu'ils donnaient à leur figure de la Mort. J'ai dans un tiroir, écrite aux derniers mois de 1914, une pièce intitulée *l'Exil*. L'exilé, c'était celui qui est resté, qui n'a pas été au feu. Est-ce que je ne dois pas tout reprendre, en intervertissant les rôles? L'exilé, est-ce que ce n'est pas celui qui est parti?

Nous nous trouvions au seul endroit de ce parc où je me sente touché, au bord de cette Ile des Enfants, secrète et écartée comme un remords au fond d'un cœur. Chacun se voile de silence à surprendre le remords qui la fit naître : le vieux roi finissant, tout seul parmi les morts des siens, la famine de son peuple, les défaites de son armée, et la phrase émouvante où passe comme un doute, comme un regret, comme la vision d'une vie plus vraie à la lueur de cette ombre suprême : « Il me paraît qu'il y a quelque chose à changer... qu'il faut qu'il y ait de la jeunesse mêlée dans tout cela... » Enchantement de solitude, enthousiasme de solitude! Un banc faisait un grand vide; l'eau du bassin était noire comme de l'encre; une multitude de feuilles rondes la couvraient, serrées l'une contre l'autre, larmes d'or de l'été qui s'en va. On n'entendait pas, on ne sentait pas le vent, mais on les voyait qui bougeaient toutes ensemble, avec lenteur, dans un même sens, et puis s'arrêtaient, et puis s'en revenaient : un doux mouvement taciturne, changeant et monotone comme le mouvement d'un cœur pris d'amour, — le cœur du Génie de la Source, peut-être. Pas un bruit. Paix, silence, oubli, suspens... Et les petits bras de pierre au-dessus des petits sourires se levaient comme pour saisir l'instant qui passe; et la couleur des petits êtres de pierre était la couleur d'un instant qui est passé; et une voix qui ne remuait pas l'air laissait tomber les trois syllabes sans réponse, celles des vaillants et celles des lâches : « C'est ainsi. »

Nous nous éloignâmes. Haut était le jour. Une opulence coulait du ciel. Les bronzes ruisselaient, plus désirables que de la chair. L'odeur réchauffée des feuilles mortes était entêtante comme la peau d'une chère reliure. Le beau groupe de Tubi, que le peuple le plus spirituel du monde a baptisé le Char Embourbé, crevait hors de l'eau comme pour remonter le tapis vert à toute allure. Un lait de déesse coulait du ciel. Et voici que par une affreuse ironie, auprès de cet être, en cette heure du monde, à l'instant que nous assaillaient les dures pensées... O parc ! ô parc ! Il soulevait tous nos désirs de bonheur.

« On se croirait à l'intérieur de l'eau », dit Gérard avec son habituelle puissance. C'était une eau très faible où nous nous embarquâmes, très faible mais elle nous tenait bien. Au-dessous des berges se balançaient des rêves de berges, des berges telles qu'elles eussent voulu être. Et n'est-ce pas qu'en nous penchant nous allions voir se lever un visage rose, avec deux yeux comme deux bleuets morts, avec toute l'infidélité du cœur coulant dans ces yeux, et les traits menus comme des notes de clavecin, et les ardentes petites mains d'opale pendant comme des fruits par-dessus le bord, et les doigts tels que si, dans l'eau souriante, tissant toutes les délicatesses du ciel? Ah !

songions-nous avec folie, quelle merveille ce serait de l'adorer !

...Une molle nuit d'août, sous une lune mûre et lourde comme un pêche, toute la flottille opulente et dorée. « Dans le profond silence de la nuit, l'on entendait les violons qui suivaient le vaisseau de Sa Majesté. Pendant que les vaisseaux voguaient avec lenteur, on entrevoyait l'eau qui blanchissait tout autour; et les rames, qui la battaient mollement et en mesure, marquaient comme des sillons d'argent sur la surface obscure de ses canaux... »

Simple récit du bon Félibien, mais l'arbre est secoué : pluie de fleurs ! Quand on demande à Gérard ce qu'il désire, d'abord il vous répond, sans lever les yeux, du ton d'un homme politique parlant de son honneur : « Bien travailler... » Seulement, si on le pousse : « Et puis? » — « Et puis, m'amuser comme un fou ! » Cette candeur et cette âpreté ! Du tragique passe là dedans. Je crois qu'il n'est pas un être ayant un peu vécu qui ne sente dans cette petite phrase quelque chose qui le bouleverse. Mais ce qui se levait pour nous, ce n'était pas une vaine irisation du passé; comme Gérard, aux êtres ! aux êtres ! nous allions aux êtres. Rêveurs très réalistes, qui toujours utilisent, paraphent avec un acte, et de tout art font de l'art appliqué, Versailles ne nous est qu'un décor où peut-être demain nous pourrons placer nos propres fêtes, une devanture où nous choisissons ceci ou cela pour en parer nos vivants et notre vie. — Et toutes les images venaient vers nous, à la rencontre de notre barque, passaient sur nous, à travers nous, et les deux ombres, devant nous, l'enfant pur et le juste silencieux, y plongeaient comme deux figures de proue.

Là était la main qui avait écrit : « Ma chère maman... », le visage qui s'était enfoncé dans les gaz, le corps qui avait couru dans le feu, la main, le visage, le corps qui demain allaient refaire les mêmes gestes; et les rêves étaient autour de nous. De dures choses fuyaient au travers de ces rêves, comme un torrent au travers d'un lac, heurtées, inachevées, dures à nous crisper les sourcils, crisper l'âme comme les traits avant les larmes. Tout dire : « Je sais tout. Ne nous taisons plus. Il y a une immense injustice. S'il existait une justice, nous, qui ne nous battons pas, nous n'oserions pas seulement lever les yeux. » Mais combien de temps nous obséderont-ils, les devoirs que nous nous tirons de cette minute? Et n'y a-t-il pas à notre insu, dans toutes nos bonnes volontés d'expiation, de compensation, un zèle facile et à bon compte, quelque chose d'un peu ridicule et quasi de déplaisant? Et lui, peut-il les prendre au sérieux? Et peut-il comprendre et accepter que *je sois lui-même* beaucoup plus peut-être qu'il ne l'est? Ne s'irritent-ils pas quand on hasarde de se mettre à leur place? Mais qu'ils disent ce qu'ils veulent, alors! Que devons-nous leur dire? dire d'eux? faire pour eux? Et que peut-il penser en cette minute? Comment ne nous hait-il pas? Comment ne nous jette-t-il pas à l'eau? Ah! toute la société se lèverait pour l'y jeter à notre suite.

» Non. Tout est calme. Les arbres passent, les gens passent. Il est lui et nous sommes nous. Il peine et nous ne peinons pas. Il risque et nous ne risquons pas. Et il n'y a aucune raison sérieuse pour que ce soit lui qui peine, risque et crève, et non pas nous : le hasard d'un appel de classe... le hasard d'un conseil de réforme... Tout cela est dans l'ordre. Après deux ans je me révolte encore? Oh, que je suis neuf! Un vrai poète. Un monstre, plutôt, comme les gens qui m'aiment me l'ont toujours dit. Allons, vite, soyons illogiques et lâches, renveloppons-nous de *ce qui est.* » Alors, comme une voix seule jaillit de la symphonie, jaillit du tumulte la phrase bien connue : « Ah, pour toi, tous les bonheurs! » C'était le vœu crié tant de fois sur une tête féminine et charmante, aujourd'hui sur cet épais inconnu, avec son casque et ses moustaches, mon frère dans la fraternité virile. « Il faut affirmer à ces souffrants l'existence encore possible des choses belles et bonnes, encore les plaisirs simples et les complexes. Il ne faut pas que nous craignions jamais de leur donner trop. Jamais le monde n'aura eu besoin de bonheur comme demain. » Bonheurs et devoirs, tâches et repos se mêlèrent, demi-joints, demi-hostiles, toute confusion. Cette minute eut un goût déchirant.

Le soir tombait.

Une brume bleu pâle se coucha dans le fond du canal, pour y mourir. L'eau fut de cuivre terne et le Char se teintait de mauve. Les vitres du château flamboyèrent : pour qui allumait-on les lustres? pour quelle fête de fantômes, ce soir? Alors un seul mouvement fit remonter les gens par l'Allée Royale, comme si la ville les aspirait; de toutes parts des couples sortirent. Je regardai Michel, il me regarda : ce fut tout, nous fûmes liés et complices. Nous vîmes contre la masse noire des grands arbres fuir les trois petites Américaines que nous poursuivîmes d'une jambe rapide par un même soir merveilleux, les trois petites amazones, têtes nues elles et nous, avec leurs petits cœurs sucrés comme des caramels, leurs cheveux défaits qui avaient l'odeur de la flamme, le rayonnement de leur clarté dans le bois sombre, sous les rayonnements des colonnes hermétiques pareilles à de grands jets d'eau pétrifiés : divine irruption du vrai antique et de la vie jeune dans le guindé parc et les mythologeailles. Et soudain, des vasques, des socles, des charmilles, toutes les déesses se levèrent. Le parc poussa un cri.

...Une porte s'ouvre, le père se retourne : « Toi ! » Il est là, avec son casque, avec sa sueur, avec sa crasse, son teint de terre, ses traits sans âge : ah, grand Dieu ! cette étreinte, ces deux corps d'hommes embrassés, immobiles, si longuement. Cela, je le vis. Les coudes sur mes genoux, je pressais les poings contre mes yeux : « Qu'il vive ! Qu'il vive ! Alors, nous verrons... Mais, avant tout, qu'il vive ! Ah, comme je souffre de lui ! » Et voici que peu à peu, dans ces yeux fermés, comme un ruisseau un instant troublé reprend son cours, comme des nuées qui voilent, dévoilent, revoilent une cime, les rêves de la vie aimable refluèrent, recouvrirent la scène, la renfoncèrent : non pas qui s'avançaient de vagues figures sorties d'une toile, non pas mais bien nous, nous à pas très lents dans les allées toujours heureuses, dans le Tempé toujours possible, sous les frondaisons toujours vertes. Puissants golfes de paix et d'ombre ! Les clairières étaient hautes, profondes, mystérieuses ; une immortalité légère descendait sur nous comme dans des songes, où passaient des femmes belles de bonheur, dansant parmi des biches assoiffées. Et il y eut une seconde où je crus qu'il n'y avait plus d'injustice sur la terre, mais quand je rouvris les yeux je vis le souffrant devant nous. Une seconde où je crus que je saurais me libérer de toutes les lois de la terre, mais quand je rouvris les yeux, je vis l'enfant devant nous. Et la parole qui entourait l'enfant disait : « Si vous n'êtes semblable à l'un de ces petits... » Et la parole dans le regard du juste : « Pour racheter les péchés du monde... »

Nous nous quittâmes. Je serrai la main du jeune homme avec force, cette main muette dans la mienne. De crainte qu'ils ne livrassent trop de choses, et puis parce qu'ils eussent fui devant les siens, en lui serrant la main je baissais les yeux. Mais, derrière les paupières, mes yeux le suppliaient de vivre, de me comprendre, de me donner son pardon, de ne pas m'emporter comme un mal.

Trois semaines plus tard, les soldats français reprenaient V...

Je vis plusieurs fois Gérard avant que le hasard de la

conversation ne m'amenât à citer cette affaire. Alors lui, après quelques remarques :

— ...Nous connaissions quelqu'un qui a été tué là.

— Ah !

— Et toi aussi, d'ailleurs, c'est X..., avec qui nous étions à Versailles.

— Comment? Est-ce possible ! Et tu ne me le disais pas !

Que croyais-je? Quels liens s'être noués? C'est une souffrance, c'est quelque chose qu'on arrache, qui meurt, tombe au fond. Mais lui :

— Qu'est-ce que tu veux ! ce sont les risques de la guerre.

Gœthe dit que l'ingratitude libère l'homme de devoirs qui le paralyseraient. Sur l'égoïsme de Gérard ne nous montons pas la tête. D'ailleurs Gérard tombera demain, à son tour, dans *celle-ci* ou dans la suivante, et ses cadets trouveront que ce sont là les risques de la guerre. Les hommes, dans leur course, se passent l'un à l'autre l'indifférence. Ce n'est certes pas un flambeau. Mais c'est un pain, et qui permet de vivre.

PAQUES DE GUERRE AU COLLÈGE

JE me souviens de ce Salut de Pâques, au collège...

Il y avait là les parents, la jeunesse, plus d'un prêtre qui avait levé la main de Moïse sur ses frères dans la bataille, plus d'un « Philosophe » et d'un « Math. Élém. » dont on savait au premier regard qu'il serait tué, à cause d'une certaine façon sérieuse d'envisager la vie, empreinte sur son visage. Et pourtant on ne voyait que ceux qui étaient dans le chœur, debout, un si petit groupe parmi l'assistance, si à part, si désignés. *Ave, morituri te salutant.* Toute la lumière était en fleurs.

Les combattants, l'un au côté de l'autre, se tenaient debout devant les hommes et devant Dieu. Depuis qu'ils étaient au front, leurs traits s'étaient durcis et dans les creux remplis de cendre, comme lorsqu'on entend une musique très belle; leurs yeux s'étaient faits plus grands, comme lorsqu'on est dans les forêts. L'ombre déjà renfonçait ces justes sur les confins de la vie et de la mort, déjà libres d'une liberté surnaturelle, incapables de plus jamais décevoir, totalement absous pour le passé et pour l'avenir : déjà fixés comme les statues, purs et perdus comme l'horizon et les astres. Tous, en partant, se préparaient à vivre. Un jour cette bouche avait dit : « Je n'avais rien fait de mal! », avec une voix d'enfant de dix ans. Sur ces cernes blancs et bleus de la fatigue, un instant il y avait eu des larmes. O larmes... Tout était dans l'ordre, maintenant.

Tout était dans l'ordre. « *Le meilleur est que chacun de nous suive sa voie, moi pour mourir et vous pour vivre* », dit Socrate condamné. Tout était dans l'ordre. Tout était accueilli, accepté. « Nous marchons. Nous ne biaiserons ni ne serons habiles. C'est toujours nous qu'on met en avant. Soit. Nous marcherons s'il le faut à la place des autres. » Voilà ce que disaient ces gamins qui venaient au Salut avec leurs casques, leurs éperons et leurs étuis à revolver, parce qu'ils étaient quand même contents de faire leur petit effet. Mais il a frémi derrière ses ailes, l'Ange qui, se penchant sur les cœurs, cueille les mots qui ne furent pas dits pour les inscrire sur des colonnes cachées.

Nul qui ne trouvât dans cette heure une raison de plus à son effort, une ratification de ce qu'il y avait de bon en lui. Les soldats, au milieu de cette jeunesse, des mêmes gestes, des mêmes passions qui avaient été leurs, répétés aux mêmes places et entourés des mêmes soins, sentaient confusément qu'ils étaient peu, bien remplaçables, une petite ride sur la vie qui passe, cependant que ces enfants leur criaient aussi pourquoi il faut qu'on se batte. Les réformés, les ajournés relevaient la tête. « N'avez-vous pu veiller une heure avec moi? » Cette voix des combattants s'était tue. Ceux du coin du feu regardaient en face ceux du feu. Ils leur disaient : « Nous souffrirons, nous rachèterons. Mais parlez, dites-nous ce qu'il faut faire. Nous ne pouvons plus nous faire de mal. » Ils disaient à chacune des mères : « Je vous donne le droit de savoir ce que je fais de ma vie. » Partout c'était la diffusion de soi-même, une seule pénétration comme celle qui lie les petits chanteurs quand ils se serrent autour de l'antiphonaire et chantent avec des bouches rondes. On croyait que le mal n'existait plus, que l'ironie n'existait plus, que nul de ceux qui étaient ici désormais ne serait froid, fermé, distant, hostile. Les battements de toute la France prenaient leur rythme à votre poitrine. Toutes les âmes étaient refondues et frappées au sceau de l'honneur.

Les soldats surtout, qui portent toujours quelque sourde amertume, étaient réchauffés par tout cela. Les prières de leurs pairs les couvraient comme une armure; puis chacun d'eux était augmenté parce que certain de ses camarades vivait cette heure en même temps que lui. Lorsqu'ils étaient du côté de la mort, ils avaient renié trois fois cette maison, la jugeant niaise et démentie par ce qui est, — et voici qu'ils regardaient, reconnaissaient, et, baissant la tête, s'abandonnaient à leur patrie morale retrouvée. Ils avaient attendu en vain bien des lettres, écrit les premiers bien des lettres, senti bien des chères présences s'enfoncer, disparaître comme une rive qui s'éloigne, — et voici qu'ils se sentaient encore soutenus par ceux qu'ils aiment. Ils avaient été rejetés désespérément vers l'avenir, — et cette minute leur décolorait l'avenir, parce que tout leur semblait atteint. Quand l'ostensoir fut élevé, tel qui d'ordinaire inclinait seulement le front s'agenouilla sur les deux genoux; et tel que le respect humain tint bouche close à tous chants de l'Église entonna dans le chœur le *Magnificat*, cherchant du regard celui qu'il aimait, avec la crainte qu'il ne chantât pas comme lui. C'était comme un drapeau qu'on hausse; ou bien rien qu'un trop-plein qui déborde, toute une poussée intérieure qui emprunte des mots et des sons pour s'exprimer et vous décharger le cœur.

Avant qu'on ne se séparât, le Supérieur de la maison s'avança devant l'autel. Lui aussi il savait les désarrois de *là-haut*, l'acceptation pleine de protestations douloureuses, tous les départs sans adieux.

Il parla. Et quand il dit la Fête de ce jour, et que tous ces corps ressusciteraient, comme dit saint Augustin, « parce qu'ils étaient beaux », renaîtraient tels que ceux qui étaient là les voyaient hier, dans ces jardins, dans ces cours, sous ces porches, lorsqu'ils pressaient dans leurs bras leur jeunesse, alors en bas, au fond de la chapelle, les femmes se mirent à palpiter et à pleurer. Elles palpitaient, et pleuraient, et mouraient, et vivaient. Elles revoyaient les sourires, les taches de rousseur, les petits gestes qu'ils avaient pris d'elles et qui allaient vivre pour l'éternité (tout cela, tout cela, elles qui n'espéraient que dans leurs souvenirs). Elles ne prenaient pas garde que celui qui parlait, à mesure qu'il parlait son corps disparaissait, on ne voyait plus que son front et les étincelles qui sortaient de sa bouche : tous étaient tournés vers les triomphateurs de la mort, qui brûlaient comme sur un bûcher. Eux aussi voyaient justifiés par cette parole bien de faibles instants de leur vie. Leur croyance n'était plus le blême instinct qui fonctionne sous les obus, l'aveugle besoin de s'accrocher à n'importe quelle protection mystérieuse, c'était la certitude attestée par un gonflement du cœur, et chacun, saluant le risque d'être dupe, se perdait dans la Vie meilleure avec un consentement enivré.

Le prêtre se tut. Tous s'agenouillèrent, pesants d'amour. Comme un songe à la dérive, le Collège s'en allait sur l'espérance. On entendait le bruit d'un banc que faisait bouger un enfant las.

On sortit de la chapelle, mais rares furent les personnes qui franchirent la porte de la maison de jeunesse. Partout il y avait un même besoin de ne pas briser tout de suite le miracle, de s'échanger l'un l'autre avec des mots. Dans le hall où descendait le jour trembla une minute très touchante, minute suspendue, incertaine, où vaguement on s'attendait, se pressentait, s'interrogeait par le regard. Puis un grand mouvement rapprocha, confondit tous ceux qui étaient là.

Tous s'abordèrent, la plupart sans se connaître. Ceux qui « rejoignaient » ce soir, voilés d'une gravité sublime, cherchaient à lire sur les visages des enfants si déjà le bienfait de cette heure ne s'était pas effacé. Mais ce qu'ils voyaient surtout, à l'indifférence de ces visages, c'est qu'ils étaient bien des « anciens », que leurs cadets ne les connaissaient plus... Le premier de la journée, cet instant fut d'une mélancolie infinie.

Ils virent s'avancer vers eux ceux qui avaient leur âge et qui restaient. Ils virent, comme dans nuls yeux au monde, que ces yeux les suppliaient de vivre. Ils tendirent leurs mains nues, en gage de la foi commune. Ils sentirent ces mains dans leurs mains comme de petites flammes.

Les mères en deuil regardaient de près ces grands garçons pareils au leur, les questionnaient sur la vie de là-bas, silencieusement les comparaient à lui. La foule s'écoulait, elles restaient en arrière, hésitantes, comme fascinées par un papier sur le mur qui répandait une sorte de sourire. Lorsque, avant de repasser le seuil, elles s'arrêtèrent sous le cadre où sont inscrits les noms des morts du collège, pour lire une fois de plus celui qu'elles savaient bien y être, ce nom qui plus jamais ne sera mêlé aux affaires de ce monde, il leur parut que la liste funèbre, et puis celle des Croix de Guerre, à côté, n'en faisaient qu'une dans le même bonheur sans réserve. Dans une minute peut-être irretrouvable, elles pensèrent qu'il valait bien que leurs fils fussent morts pour qu'une telle heure eût existé.

LE DIALOGUE AVEC GÉRARD [1]

Si tu plaisantes, on ne peut plus jouer.

ANTONIN, *21 ans, mobilisé comme auxiliaire à Paris.*
GÉRARD, *12 ans et demi, frère d'un de ses amis.*

Aux Champs-Élysées, pendant la guerre.

ANTONIN, *l'abordant.* — Gérard, Dejoie a été tué !

GÉRARD. — Je viens de l'apprendre.

ANTONIN. — Et il y a trois jours encore, tu te souviens, je te parlais de lui. Ce garçon que j'ai connu à peine, je te disais combien j'aurais aimé que, toi, tu le connusses. — Tiens, sa photo. (*Pendant que Gérard la regarde.*) Il y a des gens qui sont des héros nés. Ils n'ont pas encore fait leurs preuves, et déjà ils emportent l'admiration. Qu'avait-il fait d'exceptionnel, ce Dejoie? Il était brave, mais pas plus

1. Voir la note VIII.

sans doute que beaucoup d'autres. Pourtant je le mettais à part; je faisais de lui un type; je recueillais ses attitudes et ses actes; j'aurais voulu lui construire une légende et je sais qu'il m'en eût su gré, car c'était un héros qui n'était pas modeste. Et tandis qu'une sorte de jalousie ne m'eût pas laissé de repos avant que je l'eusse dépassé, cependant, pour le monde, j'aurais accepté de paraître moins que lui.

GÉRARD, *après avoir regardé la photo.* — Tu me la donnes?

ANTONIN. — L'extraordinaire chose! J'ai sur moi la photo d'un garçon à qui j'ai parlé une heure en tout peut-être dans ma vie, avec qui je n'ai pas échangé une lettre, dont je n'ai même pas su où il habitait, — et toi, tu ne l'as jamais vu, et tu me la demandes! Ah! que n'aurait-il accompli, celui-là, s'il avait vécu! (*Un temps. A lui-même.*) Rien, peut-être.

Il a donné la photo. Gérard la met dans son portefeuille.

GÉRARD. — Dis donc, il faut que je te demande quelque chose.

ANTONIN, *rempli de gravité.* — Demande.

GÉRARD. — Tu ne sais pas où je pourrais acheter un bouchon par ici, parce que Dubois m'a parié que je ne pourrais pas en allumer un avec une loupe, au soleil.

ANTONIN. — Excuse-moi. J'en étais encore à Dejoie. Si c'est tout l'effet que ça te fait!

GÉRARD. — Qu'est-ce que tu veux, il est mort. Tout le monde meurt.

ANTONIN. — Tu ne diras pas ça quand tes parents mourront.

GÉRARD. — Si, je pleurerai un peu; et puis je dirai : « Il fallait bien qu'ils meurent. » C'est un raisonnement à se faire.

ANTONIN. — C'est bon, c'est bon. — J'avais autre chose aussi à te dire, mais dans ces conditions-là je me tais.

Un silence.

GÉRARD. — Est-ce que je t'ai froissé? Tu as l'air de faire la tête.

ANTONIN. — Je songe seulement à la dernière heure où j'ai vu ce garçon. C'était il y a un mois, dans la chapelle du collège dont nous sommes tous deux des anciens, à ce fameux Salut de Pâques, je t'en ai parlé bien souvent. Il était dans le chœur, face à moi, enveloppé de son grand manteau de cavalerie, ses cheveux noirs en arrière, ses mains sur le pommeau de son sabre, et, comme dans le vers de l'Iliade, « dépassant tous les autres de la taille, ainsi qu'il convient à un dieu ». Et moi, sur son maigre visage glabre d'ascète et de chevalier, je cherchais à lire si cette heure l'empoignait comme elle m'empoignait, moi. Quand nous sortîmes et qu'il vit les élèves défiler devant lui sans s'arrêter, il fut pendant quelques instants comme recouvert d'une ondée de faiblesse, puis se plaignit que, parmi eux, personne ne sût plus même son nom. Et comme je lui répondais : « Le sauraient-ils encore, vous croiriez-vous donc moins oublié? » — « Ah! fit-il, il ne faut pas dire cela! » Et voici qu'à présent, tandis que les étrangers eux-mêmes ont devant cette mort une bouffée de surprise, de peine, de révolte, je ne sais quoi, toi, un enfant, le premier de tous, sur ce corps encore chaud tu jettes ta petite poignée de terre... Ah! non, cela, ce n'est pas bien.

GÉRARD. — Si j'avais su que j'allais te froisser, je ne l'aurais pas dit.

ANTONIN. — Tu ne m'as pas *froissé*. Tu emploies toujours des termes inexacts.

GÉRARD. — Corrige-moi.

ANTONIN. — Dis-moi, est-ce que tu y penses quelquefois, à la guerre?

GÉRARD. — Pas bien souvent.

ANTONIN. — Et à tout ce qu'on souffre? Et à tous les pauvres diables de morts?

GÉRARD. — Un petit peu. Pas bien souvent. — Et toi?

Un silence.

GÉRARD. — Écoute, je réfléchis à quelque chose. C'est que, si j'avais entendu quelqu'un dire ce que j'ai dit pour la mort de Dejoie, j'aurais été scandalisé. Seulement, quand c'est moi qui le dis, je trouve ça tout naturel.

ANTONIN. — Tu es plutôt orgueilleux.

GÉRARD. — Oh! non, pas excessivement. Mais égoïste, ah! ça...

ANTONIN. — On te le dit, ou bien tu t'en aperçois toi-même?

GÉRARD. — Les deux.

ANTONIN. — Est-ce que vraiment personne n'a le pouvoir de te faire de la peine?

GÉRARD. — Si, les chats! Ils peuvent me griffer.

ANTONIN. — Gérard, sage Gérard, qui sais si bien m'avertir, si je me mêle de ce qui ne me regarde pas!

GÉRARD. — Quand j'étais petit, maman m'appelait : « Sa Majesté ». (Oh! j'étais très gentil, je ne faisais jamais de mots d'enfant.) — Au lycée, ce sont tous des imbéciles. On ne peut pas parler avec eux de choses sérieuses. Pourtant, il y en a de plus intelligents que moi. Je suis dans la moyenne.

ANTONIN. — Plutôt au-dessus de la moyenne.

GÉRARD. — Les jours où il fait du soleil.

ANTONIN. — Tu es intelligent, quoique assez inégal. Parfois j'entre dans tes paroles, avec respect, comme dans l'ombre que donnent les arbres. Puis viennent des heures entières où tu n'as rien de sensationnel.

GÉRARD. — Oh ! ça va ! (*Il a rougi.*) D'ailleurs, c'est toi qui veux toujours des choses sensationnelles.

ANTONIN. — Peut-être... Mais ne crains pas trop pour toi-même ces longues heures où tu bats la campagne, où tu bouscules tout avec ton ignorance et ta méchante petite impudence. Alors je te secoue et je te rejette, je te quitte et je t'oublie, mais, chaque fois que je te retrouve, j'ai un regret qui n'est qu'égoïste à t'avoir oublié ainsi. Tes lacunes et tes ligatures me retiennent autant que tes valeurs, et je crois bien que je n'ai jamais pour toi plus d'amitié que quand tu me décourages un peu. — Allons, accompagne-moi une minute rue Marignan, j'ai une lettre à déposer...

GÉRARD. — Si tu crois que j'ai le temps ! Et mon travail?

ANTONIN. — Toujours?

GÉRARD. — Plus que jamais. Pourtant, à condition que je ne me fatigue pas. Tu sais, je ne suis pas très solide.

ANTONIN. — Ah ! Le médecin... Toi aussi !

GÉRARD. — Il y a des compositions que je ne fais pas.

ANTONIN. — Des études que tu as la permission de manquer...

GÉRARD. — Et je suis dispensé...

ANTONIN. — Et tu es dispensé de la gymnastique !

GÉRARD. — Justement !

ANTONIN. — Dire que tant que durera le monde il y aura toujours des petits Français qui seront dispensés de la gymnastique !

GÉRARD. — Ça m'est absolument défendu de toucher à un livre le jeudi après midi et le dimanche.

ANTONIN. — Moi, ça m'est absolument défendu de dormir moins de sept heures par nuit... Mon Dieu, comme c'est étrange que d'âge en âge... (*Sur un autre ton.*) Dis-moi, tu me disais tout à l'heure : « Il y en a de plus intelligents que moi. » Mais, en somme, intelligent ! intelligent ! c'est bien difficile, de dire de quelqu'un qu'il est tout à fait intelligent. A quoi reconnais-tu, toi, que les gens sont intelligents?

GÉRARD. — Je trouve intelligents les gens qui comprennent ce que je dis.

ANTONIN. — Ah ! comme tout tourne autour de toi ! Et tout le temps c'est ainsi. Je pensais à Dejoie et à sa mort, et voici que nous causons, et la vie m'a repris.

GÉRARD. — Tiens, un qui n'est pas intelligent, c'est Chaumont. On m'a donné pour ma fête un accu... un accu de vingt-cinq francs... (je n'ai pas reçu que ça, naturellement...) Eh bien ! je lui demandais hier un renseignement dessus, il n'a même pas été capable de me le donner.

ANTONIN. — Non, non, là, mon ami, tu dérailles. Quelqu'un peut être très intelligent et ne pas connaître le fonctionnement d'un accu. Ainsi moi, qui ne sais pas au juste ce que c'est... (*Gérard éclate de rire.*) Tu crois que ce n'est pas possible? Ah ! je vois, tu vas encore prendre des airs protecteurs avec moi.

GÉRARD. — Mon cher, quelqu'un d'intelligent, c'est Brossard.

ANTONIN. — Ton professeur de lettres? Je le connais bien; j'ai été jadis avec lui; nous sommes restés un peu en relations. Défie-toi de lui. C'est un de ces types qui agissent en vue de leurs idées, et non en vue de tel et tel être. Tu comprends?

GÉRARD, *avec une impétueuse gravité.* — Explique-moi. (*Inconsciemment il ralentit le pas, après ce mot terrible.*)

ANTONIN. — Seulement, je te préviens, c'est encore pour te dire du mal de quelqu'un. Mais est-ce de ma faute? Nous vivons au milieu de gens, il y a plus de différence entre eux et nous qu'entre moi et ce chien.

GÉRARD. — Allez, hop, sale bête! Je n'aime pas les chiens. Ils obéissent toujours.

ANTONIN. — Les Brossard, les Didier, les Martin, ces gens-là n'ont pas d'âme.

GÉRARD, *tournant la tête.* — C'est vrai?

ANTONIN, *troublé, ému par l'accent de l'interrogation.* — Si, bien sûr, ils ont une âme. Je veux dire qu'il y a toute une partie de la vie qui leur échappe. (*A part.*) (Je ne le tromperai pas! C'était bon pour les grandes personnes!)

GÉRARD. — Le tout est que ce soient d'honnêtes gens.

ANTONIN. — Tu as raison. N'empêche que, dans ma section, par exemple, il est hors de doute que c'est le chien du cuistot qui est le seul à avoir quelque chose d'humain.

GÉRARD, *indigné.* — Oh... Ça, ce n'est pas vrai! Tu te trompes!

ANTONIN. — Peut-être.

GÉRARD. — Certainement!

ANTONIN. — J'oubliais : « peut-être », ce mot-là n'est pas de ta langue. Mais, voyons, sincèrement, ne crois-tu pas qu'il y a bien des gens, âgés et avec des honneurs, et qui n'en ont pas dit dans toute leur vie autant que nous dans une petite demi-heure?

GÉRARD. — Tu crois? Des bourgeois? Moi, j'aime bien cette façon de parler; on devrait toujours voir les choses en profondeur, comme nous faisons.

ANTONIN. — Je t'attaque! Je te mets en cause! Gérard! Gérard! qui t'a jamais parlé comme je te parle?

GÉRARD. — Je pourrais te dire des choses que j'ai faites ou pas faites, ces temps-ci, à cause de phrases que tu m'as dites il y a un an, et dont je ne savais même pas que je me souvenais. Tu voudrais bien savoir lesquelles, hein? Mais je ne te le dirai pas. Tu ferais trop le fier. Et puis, j'aime te voir bisquer.

ANTONIN. — Que tu es bête! Mais pas le fier, oh non! pas le fier. Il n'y a rien de si dérisoirement facile que d'avoir une influence. Cela ne me rend pas fier, cela m'attriste plutôt.

Gérard n'entend pas. Il a couru vers un arroseur public, s'est approché du jet d'eau, avec passion cherche à se faire mouiller. Triomphe, voilà sa manche trempée! Il revient, s'esclaffe aux mots bien sentis d'Antonin. Ils repartent. Un temps de silence un peu mélancolique. Puis :

GÉRARD. — Et Brossard? Tu devais me dire du mal de Brossard? Ah! mais, d'abord, que je me cuirasse... Voilà, vas-y.

ANTONIN. — Brossard vous prend par le bras, vous pose la main sur l'épaule. On se dit : « Comme il m'aime! Tout le monde ne me prend pas par le bras comme ça! » Mais observe un peu : Pierre, Paul, Jacques, le premier que tu lui amèneras, tous il les prend par le bras, tous il les aime! C'est un professionnel de l'attachement, simplement parce qu'il ne s'attache à personne, qu'il n'aime que ses idées, son influence, ce qu'il appelle son apostolat. C'est pourquoi je te dis sans plus, mais très sérieusement, que je crois qu'il n'a pas un intérêt vraiment réel, personnel, pour toi pas plus que pour les autres. Quant à moi, je crois, je suis sûr que, le jour où il y aurait quelque chose à faire pour moi, au point de vue moral, Brossard ne le ferait pas.

GÉRARD, *avec une force extraordinaire.* — Oh! si, il le ferait! Tu n'as pas le droit de croire cela!

ANTONIN. — Comment, je n'ai pas le droit!

GÉRARD. — Non!

ANTONIN. — Ah! comme tu affirmes! Comme tu dis que je n'ai pas le droit! Non, là, tu ne te souviens pas, tu ne répètes pas quelque chose que tu as entendu à la maison. Eh bien! c'est beau d'affirmer ainsi l'attachement que les gens ont pour vous. C'est propre, cela prouve un caractère...

GÉRARD. — Oh! là, là, un caractère! Tu ne me connais que comme je suis avec toi, où je me tiens, mais au fond je suis mou comme une chiffe... (*Après une petite hésitation : ah! premier froncement des sourcils, première lutte contre le silence, premier heurt contre la muraille!*) une nature, peut-être...

ANTONIN. — Une nature... quels mots curieux... Mais c'est égal, une nature, non, je t'assure, dans ce cas-ci, c'est plutôt du caractère. C'est du caractère que d'avoir ses idées et de n'en pas démordre, et puis d'avoir cette foi dans les êtres. Oui, vraiment, je t'admire.

GÉRARD. — Oh! je t'en prie, ne m'admire pas.

ANTONIN. — Et je songe que tu dois avoir une très mauvaise opinion de moi, que je te dénigre ainsi un de tes professeurs.

GÉRARD. — Oui, je trouve ça très mal.

ANTONIN. — Pourtant, si le hasard l'avait fait ton professeur, devrais-je ne pas te mettre en garde, par exemple, contre quelqu'un dont je saurais que la vie est mauvaise? Non, j'ai conscience de n'avoir pas mal fait.

GÉRARD. — Alors, de ton côté, tu es tranquille.

ANTONIN. — De mon côté... Et du tien, je devrais ne pas être tranquille?

GÉRARD. — Ne t'inquiète pas. Tu sais, je suis bien soigné au point de vue moral.

Ils passent devant le Grand Palais.

GÉRARD. — Tiens, là, hier soir, au coin du pont Alexandre, j'ai attendu papa pendant une heure. Sais-tu ce que j'ai fait? Eh bien, avec mon couteau, j'ai gravé le nom de Guynemer dans le parapet. Et puis profond, tu sais!

ANTONIN. — Tu as bien fait.

GÉRARD. — Papa m'a confisqué mon couteau. Il a dit que c'était un très beau couteau, que je l'avais esquinté. Mais, au lycée, tous les types ont fait comme moi, sur leurs pupitres. — A propos, je vais te raconter une histoire; tu ne me vendras pas. Ou plutôt c'est quelque chose à te demander.

ANTONIN. — Où l'on peut acheter un bouchon?

GÉRARD. — Oh! je t'en prie! Je serai obligé de cesser mes relations avec toi si tu prends l'habitude de ce petit genre de te fichotter de moi.

ANTONIN. — Et alors, qu'est-ce que c'est que ton « histoire »?

GÉRARD. — Hier, en *récrée*, j'étais à côté de grands qui causaient. Il y en avait un qui disait qu'on peut vivre sans aucune morale. Alors j'ai pensé que ce n'était pas bien d'écouter et je suis parti. — Dis-moi ce que tu en penses. Est-ce qu'on peut vivre sans aucune morale?

ANTONIN. — A côté de toi, non, on ne peut pas.

GÉRARD. — Pourquoi « à côté de moi »? Est-ce que c'est encore une rosserie?

ANTONIN. — (J'étais dans une forêt épaisse, et soudain je me suis trouvé devant la mer. Je suis devant lui comme devant une mer. J'ai les yeux plus grands comme lorsqu'on regarde la mer.) (*Haut.*) Mes gants crème, mes bottes bien luisantes, n'y crois pas! C'est toi qui as raison.

GÉRARD. — Qu'est-ce qui te prend?

ANTONIN. — (J'ai vu le Bien. Il était beau, aveuglant comme une chose primordiale. Il brûlait comme un glacier.) (*Haut.*) Ah! pourquoi ne durent-elles pas toujours, ces minutes où la vérité, bafouée, dénaturée, battue en brèche par toute la société, redevient désirable et reprend sa place dans ce qu'on adore!

GÉRARD. — Ce que tu es embêtant!

ANTONIN. — Eh bien! voici donc la seconde nouvelle que tout à l'heure je t'annonçais; c'est tout à fait le moment de te l'apprendre. J'ai demandé à partir pour le front, dans l'infanterie, en première ligne.

GÉRARD. — Tu as enfin pris ton courage à deux mains! Je peux bien te le dire maintenant : tu t'es laissé ajourner pendant deux ans... tu aurais pu faire quelque chose.

ANTONIN. — Ah! eh bien! ça... (*Très décontenancé.*) Tu ne me dis pas une chose agréable... Alors, tout ce temps-là, tu me blâmais?

GÉRARD. — Oui, je te blâmais.

ANTONIN. — Comment! Et toute la somme de mon travail, tout ce que j'ai fait pour compenser? Ne te souviens-tu pas de ce que je t'ai dit?

GÉRARD. — Oh! si, je me souviens bien.

ANTONIN. — J'ai compris le fait que je ne me battais pas comme une sorte de second péché originel, de même involontaire, de même exigeant d'être réparé. Mon orgueil, comme dans les foires ces machines à mesurer la force, plus on avait frappé dessus, plus il est monté haut. J'ai senti que demain, tandis que le soldat pourrait parler de sa tâche achevée, pour moi tout resterait à faire. J'ai éprouvé le ressort d'une telle pensée, et j'ai crié avec blasphème : « Je ferai plus qu'eux! »

GÉRARD. — Remarque que je t'approuve, seulement...

ANTONIN. — J'ai refusé de me mettre jamais en avant, j'ai refusé de rien faire qui attire sur moi l'attention, en la détournant une minute de ceux qui étaient au feu à ma place, et pourtant tu sais que j'ai quelque ambition...

GÉRARD. — Tu es ambitieux pour tes idées.

ANTONIN. — Oh! pour moi aussi.

GÉRARD. — Moi aussi, comme toi, je suis ambitieux.

ANTONIN. — ...et que j'aspire très haut...

GÉRARD. — Je suis sûr que tu y arriveras si tu travailles.

ANTONIN. — Travailler! Le beau mot! Comme tu le dis bien! Eh bien! sais-tu ce qu'il a été, mon travail? Dans ce corps qui n'avait pas souffert, c'est une expiation dans ce corps même qu'il fallait. A chaque acte nouveau d'héroïsme que j'apprenais, à chaque mort nouvelle de quelqu'un que je connaissais, répondaient un nouvel effort, une nouvelle victoire sur la fatigue ou le plaisir, afin de rétablir l'équilibre. Se dépasser! Se dépasser! La libre fièvre du jeu! Se sentir augmenter comme un ballon qu'on gonfle. Battre son record; avancer de dix centimètres le jalon vers la totale perfection humaine... Ah! comprends cela! comprends cela! Avoir voulu que plus rien ne me tînt de toutes les faibles choses d'art et d'âme qui faisaient ma valeur et ma joie; avoir courbé, contraint ma vie vers les graves problèmes et la pensée, qui est triste; avoir modifié douloureusement mon esprit, mon action, ma sphère de mouvance, jusqu'aux vêtements que je porte, jusqu'au style de ce que j'écris; avoir retrouvé à chaque réveil la nuit que j'avais quittée le soir, et fait ma lampe éternelle comme si mon front contenait un dieu; avoir pu vraiment sans ridicule prononcer les mots : « Se tuer à la tâche », et se tuer à une tâche pour laquelle je n'étais ni désigné ni armé, parce que je la croyais plus pressante en vue du bien de mon pays, et partir, à présent, prodigieusement fatigué, fatigué comme tu ne le sauras jamais, dans ma tête, mon corps, mon cœur, n'emportant à mes tempes que ma migraine pour couronne de lauriers, et partir, et toi, avec tes douze ans et demi, venir me dire que tu me blâmais!

GÉRARD. — Ce que tu as fait est très bien, mais tu as parlé de compensation : tu compares des choses qui ne peuvent pas se comparer.

ANTONIN. — Est-ce qu'il n'y a pas une sorte d'équilibre...

GÉRARD. — Tu ne sais pas ce que tu dis!

ANTONIN. — Ah! Gérard, comme tu es dur! Et je suis là, à me justifier devant toi! Personne ne me juge autant que tu me juges. J'ai entendu des gens me dire que je faisais mon devoir, et des gens honorer ma conduite; je n'en ai jamais entendu me parler comme tu me parles.

GÉRARD. — Tu ne sens pas que tu aurais servi à l'armée davantage qu'en travaillant pour toi-même?

ANTONIN. — Pour moi-même? Mais c'est pour toi, c'est pour vous tous que j'acquiers! Ah! s'il n'y avait que moi, il y a longtemps que j'aurais perdu courage...

Un long silence. Gérard se tortille misérablement pour rouler à l'intérieur les pointes de son col marin, qui ont un bien mauvais pli. Enfin :

ANTONIN, *péniblement.* — Et alors... alors tu crois qu'il y a beaucoup de gens qui ont pu penser comme tu penses là?

GÉRARD. — Je n'en sais rien. Je ne suis pas un psychologiste.

ANTONIN. — Il se pourrait que, depuis deux ans, sous toutes les civilités qu'on m'a faites, il y ait eu cette même réprobation? Je n'ai jamais songé à cela, je croyais que je faisais plus que mon devoir... j'en étais venu à me figurer... Et il faut que ce soit par toi... Comme tout cela est étrange! (Devant lui tout s'éclaire. Il est pareil à la mort.)

GÉRARD. — Oh! j'ai tout de même de l'estime pour toi.

ANTONIN. — Au moins, maintenant, tu peux être sûr que, avant la fin de l'année, le petit ruban, là...

GÉRARD. — Peuh! la Croix de Guerre!

ANTONIN. — Tu ne sais pas ce que je ferai et déjà tu exiges davantage.

GÉRARD. — Ça te fait quel âge, en somme?

ANTONIN. — Vingt et un ans depuis avril.

GÉRARD. — Ce n'est plus tout jeune.

ANTONIN, *dans un petit souffle.* — Non.

GÉRARD. — Dis donc, tu fais collection de timbres? Figure-toi, j'en ai un, il vaut cinq cents francs... C'est vrai? Tu ne fais collection de rien? (*Autre idée.*) Est-ce que tu fais de la boxe? Figure-toi, j'ai inventé un « coup » de boxe... (*Longue démonstration, bien confuse, du « coup » qu'a inventé Gérard. Antonin rend la main. Brusquement :*) Tu pars bientôt?

ANTONIN. — Dans huit jours.

GÉRARD. — C'est vrai?

ANTONIN. — (Il demande toujours si *c'est vrai.*)

GÉRARD. — Ah! si je partais avec toi, tu verrais, jamais tu ne serais tranquille. Chaque endroit dangereux, il faudrait que tu y ailles. Si tu étais blessé, je te défendrais de te faire évacuer. Il faudrait que tu sois tout le temps épatant.

ANTONIN. — Mon Dieu, c'est une très bonne idée... tout de même...

GÉRARD. — Et moi, qu'est-ce qu'il va falloir que je fasse?

ANTONIN. — Que tu fasses?

GÉRARD. — Pour la guerre.

ANTONIN. — Que tu fasses... pour la guerre... (*Comprenant.*) Oui, je suis sûr que tu aurais des façons de te rendre très utile, très utile. Je vois cela vaguement... Je ne pourrais te dire encore rien de précis. Mais j'y réfléchirai, je te l'écrirai. En tout cas, ce que je sais bien, c'est qu'il me sera sans doute plus facile de traverser la guerre vivant dans mon corps, qu'à toi de traverser les quatre ou cinq années qui t'attendent, et d'en sortir, vivant dans ton intelligence et dans ton cœur.

GÉRARD. — Menteur!

ANTONIN. — Comment, menteur?

GÉRARD. — Je veux dire : là, tu cherres.

ANTONIN. — Ne crois pas que je cherre. Et je n'ai jamais menti avec toi. — Cela, à qui d'autre pourrais-je le dire? Je te donne beaucoup, tu sais. Je te donne beaucoup et ne te demande rien. Car il n'est pas nécessaire que tu aies seulement une ombre d'amitié pour moi. Je trouve ma force à donner. Qui sait si je ne trouverais pas ma faiblesse à recevoir?

GÉRARD. — Tu ne m'as toujours pas expliqué ce que je pouvais faire pour la guerre.

ANTONIN. — Eh bien, tiens, je me souviens d'une chose que tu m'as dite il y a quelque temps et qui m'avait beaucoup frappé. Tu m'as dit qu'à la rentrée, dans les « compositions » de ta classe, tu étais en moyenne vingtième sur trente-sept élèves...

GÉRARD. — Dame, je suis d'une classe en avance... Et je te disais qu'à présent j'arrive toujours dans les huit premiers.

ANTONIN. — C'est cela. Eh bien! cela fait évidemment une toute petite chose dans le monde, et toi-même tu vas peut-être me trouver un peu ridicule, mais je ne peux pas te dire comme je trouve cela admirable.

GÉRARD, *très excité.* — Oh! tu as vu... le chauffeur nègre... c'est comme mon oncle Ernest...

ANTONIN. — Non. Écoute-moi! Ne parlons pas de ton oncle Ernest! Écoute-moi! Quand je te vois ainsi passer de la place de vingtième à celle de huitième, il me semble que c'est comme si je voyais une lutte à la corde où l'une des équipes est composée de Français, et tu t'y joins, et tu tires, et à cause de toi les Français gagnent cinq centimètres de terrain. Tu comprends?

GÉRARD. -- Un peu.

ANTONIN. — Ton courage! Toi au lycée et moi à la

guerre... Mais quand même compagnons d'armes. A quoi serviraient ces milliers de garçons qui se font tuer, si tu ne cherchais pas à être huitième au lieu de vingtième?

GÉRARD, *avec angoisse.* — Ah! voilà que tu recommences à plaisanter...

ANTONIN. — Non, non, Gérard, je te le jure, jamais plus je ne plaisanterai de ma vie.

GÉRARD. — Et puis, j'avais peur que tu ne te paies ma tête, et je veux bien tout, mais pas ça.

ANTONIN, *merveilleusement. — Salve, robur, vivum, castum...*

GÉRARD. — Ne commence pas tes laïus.

ANTONIN. — Quelle sera ta fonction? Quelle idée divine y a-t-il sur toi?

GÉRARD. — Que je sois aviateur, et puis ingénieur, constructeur.

ANTONIN. — Des choses seront changées à cause de toi. A cause de toi il y aura dans le pays quelque chose d'augmenté, quelque chose de mieux au point, quelque chose de plus voisin de la perfection. Et les gens passent et te croisent avec indifférence, sans songer que, dans la vie de leurs enfants, des choses dépendront de ce que toi, aujourd'hui, 3 mai, dans les Champs-Élysées, en arrivant à la Concorde, tu as pensé ceci plutôt que cela... — Allons, et maintenant, il faut que je te quitte.

GÉRARD. — C'est vrai?

ANTONIN. — Recommençons à être habile.

GÉRARD. — Nous pouvons rester encore à causer cinq minutes. Cinq minutes, ce n'est pas long.

ANTONIN. — Si, quelquefois.

GÉRARD. — Tu ne seras pas tué. Donc n'aie pas peur.

ANTONIN. — Tu le sais donc, pour l'affirmer ainsi? Eh bien! il faut te croire. Oui, je pars, mais quelles que soient les épreuves par lesquelles je doive passer, je ne compte pas sur ta pitié. Quand le hasard de la guerre m'eut versé d'abord dans le Ravitaillement, et que, quittant ma table de travail pour la besogne des manœuvres, je chargeais les auto-camions sur la route de Nancy, quand la terre devant moi était couverte des gouttes de ma sueur, et qu'il me fallait suivre la machine au delà de mes forces, et que parfois je m'appuyais aux arbres, oui, je m'appuyais aux arbres d'épuisement, il ne s'est trouvé qu'une personne, il ne s'est trouvé que toi pour me reprocher de me plaindre. Mais qu'est-ce que ça fait! Qu'est-ce que ça ferait si, dans cette minute même, secrètement tu te moquais de moi! Les paroles que nous disons vont bien plus loin que nous. Au delà de ce que tu penses et de ce que je pense, quelque part un bien naît dans le monde à cause que je t'écoute et à cause que je te parle. Oui, il est bien que cette heure-ci ait existé. Et c'est pour cela que je pars me battre, pour qu'une vie soit assurée où nous puissions parler comme nous avons parlé aujourd'hui.

Un silence. Gérard se tait, comme s'il pensait beaucoup. Il est un peu rouge.

ANTONIN. — Allons, cette fois, au revoir. A ma première perme!

GÉRARD, *d'une toute petite voix.* — Au revoir.

Poignée de mains.

ANTONIN, *le retenant.* — Et puis, dis donc, (*plus bas*) n'oublie pas Dejoie.

GÉRARD. — Je te promets que non.

ANTONIN, *quand il est seul.* — Je crois au sérieux de la vie.

NOTES

NOTE I

AVERTISSEMENT SUR L'ÉDITION DE 1921 [1]

La *Relève du Matin* parut pour la première fois en 1920, la veille de la rentrée des classes. J'écris cette page un an après, et c'est la fête collégienne du Saint-Esprit. En effet, du jour que mes engagements le permettent, un éditeur catholique réimprime ce volume. Dans le bulletin d'une grande Université catholique, la première de France, une haute autorité religieuse écrivait : « Voici un ouvrage qui nous paraît appelé à exercer de l'influence sur les jeunes générations. » Cette confiance va se croire couronnée.

En 1844, mon arrière-grand-père, Henry de Riancey, plus tard chef du parti légitimiste sous le Second Empire, publiait une *Histoire critique et législative de l'instruction publique et de la liberté d'enseignement en France*, plaidoyer en faveur de cette liberté, plaidoyer en faveur de l'école catholique. En 1845, il faisait partie du bureau du fameux « Comité électoral de pétitions pour la liberté de l'enseignement », présidé par Montalembert.

---

1. Cet avant-propos parut en tête de la première réédition de la *Relève du Matin*.

En 1848, Falloux l'appelait à siéger dans une commission extraparlementaire constituée en vue des mêmes objets. En 1850, membre de l'Assemblée législative, c'était un de ses discours qui inclinait la majorité vers le vote de la loi Falloux, à laquelle les maisons d'éducation religieuse doivent d'exister en France aujourd'hui.

Soixante-dix ans après, son petit-fils apporte un témoignage sur cette éducation religieuse.

Je ne puis rien contre ces correspondances. Où que je pousse la liberté de ma pensée et celle de ma vie, je reste sous les grandes mains du *fatum* catholique, qui me font de l'ombre à l'heure même qu'elles me courbent. Déjà elles s'assurent de ma dépouille. Dans le petit cimetière de Picpus, réservé aux descendants des guillotinés de la barrière du Trône, quel tombeau touche celui de ma famille, c'est-à-dire le mien? Quel compagnon de repos m'a-t-on choisi? André Chénier, La Fayette, qui sont là? — Mais non, Montalembert, encore! Je serai du côté de son cœur. Entre nous deux, moins d'un mètre de terre. Nous pourrons nous donner la main.

***

De nouveau voici donc cette *Relève*. De nouveau je jette la bouteille sur le flot, pour dire qu'il y a des êtres à la mer.

Quand j'en fus à relire certaine *Gloire du Collège*, qui tient par ici de la place, si grand fut mon dégoût que je faillis en supprimer les trois quarts. Il n'est peut-être pas une seule ligne de ce morceau que je ne me sente capable de remplacer aujourd'hui par un trait qui soit à la fois plus bref, plus précis et plus fort. Je croyais avoir dressé là une sorte de monument musical, et de bons esprits m'avaient affermi dans cette erreur [1] : or, à la nouvelle audition, je n'entendais pas une symphonie, mais l'anarchie sonore des musiciens éprouvant leurs instruments avant que le rideau ne se lève. Plus exactement, je faisais mienne avec enthousiasme la

1. C'est un poème symphonique; même, il ne serait pas difficile de le faire suivre d'une table thématique (Johannès Joergensen). — C'est proprement un poème symphonique où toute la matière spirituelle et aussi sensuelle du sujet est brassée, mêlée, variée, et saisie dans une seule onde, et d'où les thèmes principaux n'émergent que pour replonger aussitôt dans l'épais tourbillon des incidentes (Henri Ghéon). — Un orchestre déjà savant... les thèmes inépuisables d'une symphonie héroïque (R. Vallery-Radot), etc...

remarque de M. Valéry Larbaud, lorsqu'il reprochait à la *Gloire* de « donner l'impression du *bougé* dans un cliché photographique ».

Que devais-je donc faire? Mon Dieu, arrachées trois ou quatre pages, médiocres sans plus, j'ai laissé le reste en paix. J'ai cru que ce qui avait intéressé dans cette pièce sur la jeunesse, écrite à vingt ans, c'était qu'elle fût peut-être elle-même, à l'insu de son auteur, un document sur la puberté de l'intelligence. J'ai respecté le flou de son âge, comme les graveurs des colonies phocéennes prenaient soin de reproduire à traits menus, sur les joues des têtes juvéniles ornant les oboles, le duvet léger de l'adolescence.

Je sais assez qu'en matière littéraire, mettre à un texte déjà vieux une « dernière main », qui n'est jamais la dernière, ou bien le maintenir dans ses virgules, c'est ici et là même petite ruse contre le destin, c'est prendre le gros ou le petit bout de la perche qu'on tend à l'immortalité. Cependant, des deux attitudes, j'avoue préférer la seconde; elle donne quand même davantage à l'indifférence. On fait la toilette aux morts. Pour ce qu'il en reste après six mois de cercueil, on pouvait tuer le temps d'autre façon.

Neuilly, 5 octobre 1921.

NOTE II

La classe de troisième.

Voir la page 29.

C'est la classe de troisième qui donnait à Orléans les séances théâtrales que rappelle la Note V de ce livre. Jules Claretie raconte que, dans *Œdipe à Colone*, le personnage d'Antigone avait été joué par un très jeune garçon dont la sensibilité était telle qu'il ne pouvait réciter ses vers sans fondre en larmes. « Sa voix, qui exprimait toutes les douleurs, toutes les angoisses du sentiment filial et fraternel, vibrait, dit de son côté Charles Lenormant, avec une force, une vérité, une noblesse qui tenaient plus de l'ange que de l'homme. » C'est la classe de troisième qui, à l'École Sainte-Croix de Neuilly, en 1912, animée par son professeur, le bon helléniste Amédée Guiard, représenta l'*Iphigénie* de Jean Moréas, avec la musique, les chœurs, les voix seules de l'abbé Thorelle, et aussi la reconstitution, autant qu'elle est possible, des mouvements du chœur sur le *proscenium*. Barrès, Mauriac, R. de la Tailhède, qui assistaient à la représentation, peuvent se souvenir seulement de ce qu'elle dut comporter d'inévitables défaillances. Pour nous, élèves, elle est ineffaçable. J'ai le devoir d'en parler un jour profondément. Ce sera peu de dire alors que, lorsque je vis plus tard *Iphigénie* représentée par d'illustres *grandes personnes*, je quittai la salle avec détresse, dans le sentiment qui faisait écrire à madame de Sévigné, à propos d'*Esther* jouée, comme on sait, par des petites filles : « La Champmeslé vous aurait fait mal au cœur. » En vérité, cette terrible initiation, se dépassant, m'avait donné une limite. Je n'ai jamais été aussi loin depuis.

NOTE III

L'adolescence, état pathologique.

Voir la page 30.

Lorsque, à vingt ans, j'écrivais la *Gloire du Collège*, d'impulsion, sans une lecture, sans une note sur ces sujets, je n'aurais pas su répondre, à ceux qui me jetaient le chat aux jambes avec mes prétendues outrances : « Interrogez les psychologues et les médecins de la jeunesse. » J'ai connu depuis que l'expression « la folie de l'adolescence » est un lieu commun qui traîne partout (et d'abord dans Platon), que l'adolescence est considérée par l'École comme un état nettement pathologique, et que les médecins des deux mondes sont d'accord sur ce fait, dont j'emprunte l'expression à M. Janet, que la « puberté morale présente, si peu que s'y prête l'hérédité, les symptômes les plus constants de l'hystérie ». Mondains, ouvrez les publications spéciales; vous en rabattrez des littérateurs.

NOTE IV

Sens des enfants est christianisme.

Voir la page 59.

Un prêtre, dompteur terrestre et céleste, celui-là qui dans ces grands espaces d'air qui vivent autour de l'avenue de Breteuil, ou bien plutôt dans un monde invisible, a dressé à coups d'actes de foi une magnifique Cité de jeunesse (en écrira-t-on un jour la Légende Dorée?), celui-là dont un enfant me disait la parole citée plus haut : « On ne voyait plus son corps », à la suite d'une de ces allocutions où nous l'avions vu brûler sans flamme, mais, à cause de son cœur, beaucoup plus éblouissant que ces illustres prédicateurs dans les chaires occupées et vides, celui-là même écrivait à l'auteur de ce livre :

« Je viens de vous lire — lentement — page par page. — Je vous connais mieux. — Je vous estime et vous aime davantage. — Je prierai pour vous. —

« Que vous dire de votre manuscrit? C'est une œuvre sincère, pleine de noblesse — avec des à-côté et des erreurs — de difficile lecture parce que douloureusement pensée — et vécue — et chargée — mais très noble et même émouvante par sa noblesse. »

J'ai conservé la disposition des lignes, les tirets qui disent l'effort, l'ahan du rude accoucheur, lui aussi « douloureusement chargé », et qui cette fois se bat contre soi-même. Mais je ne reproduis cette lettre que pour montrer de quel cœur préparé un catholique peut accueillir une symphonie telle que celle-ci, et quel chemin trouvent à travers ce cœur les voix d'enfants. Tous les prêtres répètent, avec celui qui l'inscrivit sur son carnet d'extraits (qu'il pardonne au hasard qui me l'apprit !), la phrase de la *Gloire du Collège* : « Une paternité douloureuse remuait au fond de ces hommes condamnés à être appelés : mon Père. »

Je craignais que mon goût vif pour les Grecs et les Romains ne rendît un peu suspect le catholicisme de la *Gloire*. Je m'en ouvris à l'éminent directeur des *Études*. Le Père de Grandmaison voulut bien m'écrire : « Je n'ai rien vu de choquant en ce sens. Soit dans la *Gloire du Collège*, soit dans les autres morceaux, le fond est élevé, inspiré par des sentiments chrétiens sincères. Est-ce de la littérature « catholique »? Cela est difficile à dire parce que le point de vue religieux n'est pas assez central, dominateur, ou est trop caché, trop *implicite*. Mais c'est de la littérature saine, et faite par un catholique. »

Catholicisme caché, et pourtant manifeste? Comment cela? Simplement à cause de la manière dont l'auteur parle des enfants. Si vingt fois il y affirmait : je suis athée, le livre n'en serait pas moins écrit par un catholique, et accessible seulement à des catholiques.

Mon vénéré ami, Johannès Joergensen, qui a la gentillesse de présenter au public danois une traduction des présentes pages, mettait en garde le traducteur, M. l'abbé Schindler, contre les difficultés d'une pareille traduction. Il lui écrivait : « Tâche difficile, parce que c'est *très* (souligné) français. » Et moi d'être bien étonné! — Ainsi l'on rêve d'un livre qui serait *très* catholique, et dont l'auteur s'écrierait, si on le lui disait : « Comment! j'ai fait un livre catholique? »

NOTE V

Sur la couleur païenne de telle page de
« la Gloire du Collège ».

Voir la page 84.

Ceux que pourrait surprendre la couleur « romaine » de telles pages de la *Gloire*, appliquée à un collège catholique, auront idée de ce qu'un établissement catholique sauvegarde de paganisme *exprimé* par les quelques citations suivantes, que j'emprunte au livre de M. L. V. Gofflot, *le Théâtre au Collège*.

PAGE 91. — *Chez les Jésuites... les meilleurs élèves recevaient au concours, en plus des décorations qui se portaient sur l'habit, les titres de Préteur, de Tribun, de Sénateur, de Consul ou d'Empereur, avec des prérogatives particulières attachées à chacun de ces titres.*

PAGE 121. — *Programme de la représentation donnée au Collège de Rennes, en 1738. Le ballet est du Père Porée :*

BALLET GÉNÉRAL

Première entrée.

La Danse dans les Académies Littéraires.

Apollon accompagné de Mercure et de Minerve distribue des couronnes de laurier aux jeunes élèves qui se sont distingués dans les exercices littéraires et académiques.

Seconde entrée.

Réjouissance de la jeunesse couronnée.

CHAPITRE XII. — *Représentations du Petit Séminaire d'Orléans à la Chapelle Saint-Mesmin, auxquelles présidait Mgr Dupanloup. En 1855,* Philoctète; *1857,* Œdipe à Colone; *1862,* les Perses; *1866,* Antigone; *et dans l'intervalle,* Prométhée, *trois tragédies de Sophocle et deux d'Eschyle.*

Etc... etc...

NOTE VI

Nous ne sommes pas dans de la littérature.

Voir la page 108.

Le 25 janvier 1920, les anciens élèves de l'École Sainte-Croix de Neuilly et leurs maîtres se réunissaient pour la première fois depuis la guerre. Il y avait là les jeunes générations, les survivants et les morts. Voici l'allocution que je prononçai. Si je la reproduis ici, c'est qu'elle nous marque combien la *Gloire du*

Collège est assise sur la réalité. On devine assez en la lisant qu'il n'est pas une des phrases de la *Gloire* que je n'eusse redite devant cinq cents jeunes gens, à l'intérieur de ce collège même et en présence de son gouvernement. Cette allocution donne, dans mon esprit, comme une sorte d'*authenticité* à la *Gloire* et aux réflexions qui la précèdent.

***

Monsieur le Supérieur,

Messieurs, mes chers camarades,

Monsieur le Supérieur m'a demandé de parler au nom de cette génération du « nouveau Sainte-Croix » qui faisait sa philosophie en l'année 1912.

Monsieur le Supérieur s'est-il bien rendu compte qu'il me demandait de parler au nom de morts?

Si je ferme les yeux et me représente une classe de philosophie en 1912, voici ce que je vois :

Au premier banc : Bernard Audollent, mort; Marc de Montjou, mort; Henri Faure, mort; Louis Roblin.

Au second banc : André Laboureur, mort; Henri Macke, mort; Pierre Geay.

Au troisième banc : Marcel Villé, mort; celui qui vous parle; Henri Boudet, mort.

Ainsi, des dix garçons de cette classe, sept sont morts. Des trois survivants, deux ne survivent que parce qu'ils n'ont pas fait la guerre.

De ceux qui sont partis, je suis le seul qui soit revenu. En me choisissant pour parler au nom de mes anciens camarades, on n'a pas voulu me faire honneur. On a pris le seul qui reste.

De cette vie des hautes classes en 1912, je m'imagine parlant pendant trois heures. Je demeure indécis et impuissant en me disant que je dois en parler pendant trois minutes.

Je suis sûr que M. le Supérieur, que MM. les Préfets et les Professeurs, qui connaissent la maturité de notre maison, pourtant ne songent pas à cette époque de son adolescence sans un secret attendrissement. Mais ceux qui ont observé ce Sainte-Croix du haut d'une chaire, ceux qui l'ont écouté derrière la grille d'un confessionnal, en ont-ils une idée beaucoup plus juste que celui qui seulement y vécut dans la simple mais absolue liberté de la camaraderie?

Or, c'est un de ceux-là qui apporte son témoignage, — qui a pris garde de ne pas improviser, de crainte que son cœur n'emportât sa pensée, — et qui dit, pesant chacun de ses mots comme il demande que vous-mêmes vous les pesiez, ces mots qui ne sont pas d'une heure, mais de huit années :

En 1911 et 1912, dans le collège Sainte-Croix de Neuilly, a existé pour beaucoup d'êtres, les plus fiers et les plus nobles, quelque chose d'indépassable. Pour beaucoup d'êtres, ce qu'ils ont vécu ici est le meilleur, le plus riche et réellement l'essentiel de toute leur vie. Ceux-là qui survivent, il y a un certain désir du bien, une certaine présence vivante de Dieu, une certaine générosité, une certaine vibration, une certaine inquiétude pour les âmes qu'ils ne peuvent plus retrouver en eux-mêmes qu'au delà du jour qui a vu leur dernière sortie par cette porte. Ceux-là qui sont morts, si l'on songe à ce dessèchement et à cet amoindrissement des survivants, ce n'est peut-être pas tout à fait un blasphème de dire qu'ils avaient suffisamment existé.

Ce splendide buisson ardent n'a pas été une chose sans racines. Marc de Montjou qui, la dernière fois que je le vis, tira de son portefeuille une photographie de groupes de Sainte-Croix, qu'il avait certainement sur lui quand il fut tué; Bernard Audollent que je retrouvai, exalté par la guerre, pareil à une flamme droite et pâle, et qui me disait : « Tout ce que j'ai, c'est là que je l'ai acquis. »; Pierre Hureau, qui écrivait cette parole qui suffirait pour la gloire d'un être si c'était d'un être qu'on la disait : « Ce collège, il y a la vie en lui. »; [Henri Boudet, qui n'était rien, que nous allumâmes, qui brûla de nous et nous brûla, et s'éteignit en nous quittant.] [1] ceux-là et tous les autres savaient bien ce qu'était cet *esprit de Sainte-Croix*, ce qu'ils lui devaient et celui à qui ils le devaient. Cet esprit (le temps me presse), je ne veux le suggérer que par trois mots : cœur, compréhension, confiance. La pensée que ces morts, à l'époque de l'adolescence, à cette époque si tragique en mésententes et en méprises, ont eu la possibilité

1. Cette phrase entre crochets n'a pas été prononcée. Quelle raison me fit omettre le nom d'un ami, dont j'ai vu se débattre l'âme à vif, comme un frais écorché palpitant? Je ranime ici le nom de ce mort, du petit souffle dont je suis capable. Cette respiration artificielle lui fera bien gagner quelques années.

d'avoir confiance, — cette pensée-là, pour moi, est vraiment sans prix.

Est-il permis de boire à des morts? J'ai un précédent. Le 11 novembre 1918, à 11 heures du matin, tandis que les cloches sonnaient et que la foule circulait en chantant, ce pinard que nous bûmes à la ronde, je ne le buvais pas à la paix, ni à la victoire, ni à ma vie sauve, mais aux morts. — Je bois donc à la gloire, à cette grande et amère gloire des jeunes morts de Sainte-Croix, à ceux qui ont choisi de mourir, oui vraiment, choisi, car on choisissait. Nul ne peut y penser sans trembler de pitié et d'orgueil. Ce n'est pas dans un toast, mais dans une délibération commune, que nous déciderons ce que nous avons à faire pour eux.

Je bois à l'avenir de ce collège, à sa fonction catholique et française; à ceux qui, l'ayant renfloué, l'ont maintenu et développé dans l'incertitude et la tourmente; à ceux qui sont morts à cette tâche, et je salue le nom de M. l'abbé Hermeline; à celui qui, plus qu'eux tous, l'a recréé avec son cœur.

Je bois à nos remplaçants, à cette mystérieuse jeunesse humaine. J'atteste — et je vous prie de croire que je n'emploie pas ce mot à la légère, — j'atteste que les trois ou quatre morts qui furent l'âme de cette génération de Sainte-Croix au nom de laquelle je parle, s'ils étaient ici comme je les vois, ne s'occuperaient que de ces vivants. Et ce qu'ils leur diraient, je vous le dis. Ils leur diraient qu'avec toute leur félicité d'outre-tombe et toute leur gloire, il eût été mieux qu'ils vécussent. Ils leur demanderaient d'acquérir avant tout (et ceci ne choque nul catholique) la *force* et le *goût de la force :* afin que dans cinq ou six années nous n'ayons pas, dans ce même préau, à boire à de nouveaux morts.

NOTE VII

L'âge ingrat.

Voir page 109.

Winckelmann fait remarquer que le Poussin, représentant Thésée dans l'acte de lever la pierre sous laquelle son père a caché son épée, lui donne une barbe et les formes de l'âge mûr;

mais le héros n'avait pas seize ans quand il donna cette première preuve de sa force.

Chacun de nous est ici le complice de ce peintre. Nous avons une tendance de la raison à déposséder l'enfant au profit de l'homme. Le XVIIe siècle, et particulièrement son théâtre, ne sont pas pour peu dans ce glissement de l'amitié. Tout entier il fait sienne la parole de Rancé à l'abbé Nicaise : « Qu'est-ce que l'on peut penser à l'âge de douze ans, qui mérite qu'on l'approuve? »

Combien d'entre nous se rendent compte que Britannicus fut empoisonné « au moment qu'il accomplissait sa quatorzième année » (Tacite), que le Sophocle de Salamine chez nous serait en culottes courtes, que Béatrice avait douze ans quand Dante l'aima, qu'Iphigénie en avait treize, Juliette quatorze, que des jeunes filles qui jouaient *Esther* à Saint-Cyr, « aucune, dit madame de Maintenon, n'avait plus de quinze ans »?

Les quelques auteurs qui font naître Xénophon en 435 nous forceraient de croire qu'il avait onze ans quand Socrate l'aborda dans la rue, ce qui nous eût valu un diable de « dialogue avec Gérard »! Mais la quasi-unanimité des auteurs place en 445 sa naissance et en 430 la fameuse rencontre. La chronologie de Letronne est là-dessus catégorique. Il avait donc quinze ans.

Il y aurait une émouvante enquête à faire dans les livres, pour restituer à nos héros leurs âges. On apprendrait que beaucoup de ceux qui ont le plus ému l'imagination humaine étaient des enfants, et dans *l'âge ingrat.*

NOTE VIII

Le Dialogue avec Gérard.

Voir page 156.

M. Étienne Lamy a retrouvé, pour l'appliquer au *Dialogue avec Gérard,* un mot de l'abbé Galiani à madame d'Épinay (à propos des *Conversations d'Émilie*) : « Jamais on n'a dit de plus grandes vérités avec plus d'enfantillage. C'est un ouvrage qui pèse autant par ce qu'on y dit que par ce qu'on n'y dit pas. » Et celui qui venait d'écrire deux cents pages sur la nécessité d'avoir des enfants, sans que vînt sous sa plume un seul mot de sympathie pour les enfants, me répétait, chaque fois qu'une de mes permissions me menait chez lui : « Si tous les hommes avaient le sens des enfants comme vous l'avez, est-ce que ce goût ne l'emporterait pas en eux sur les raisons qu'ils se donnent de n'en pas avoir? »

L'amusant est de rapprocher de cette parole celle d'un critique d'ordinaire pénétrant, qui écrivait du *Dialogue :* « C'est sans doute un signe précurseur de quelque campagne littéraire tendant à créer un snobisme des enfants. Snobisme utile, utile façade. Parlons-en toujours, n'en faisons jamais. » Le mot est drôle, sans justesse aucune. Mais son auteur touche à un point important lorsqu'il ajoute : « Rien d'ailleurs qui doive surprendre. Relisez Benda, dans *Belphégor :* « On entrevoit le jour où la bonne société française répudiera le peu qu'elle supporte aujourd'hui d'idées et d'organisation dans l'art, et ne se passionnera plus que pour des gestes de comédiens, *pour des impressions de femmes ou d'enfants,* pour des rugissements de lyriques, pour des extases de fanatiques. »

Phrase intéressante, parce qu'elle nous montre, chez un esprit averti, la persistance du préjugé qui, automatiquement, assimile l'enfant à la femme. Et pourtant, combien diffèrent, se repoussent, manquent entre elles d'amour, au sens grec du mot, la nature de l'enfant et la nature de la femme ! Presque toutes nos monstrueuses erreurs au sujet de l'enfant, et nos mutilations de sa personnalité, proviennent de notre habitude de penser « femmes-et-enfants » tout d'une pièce, avec des traits d'union.

Le *Dialogue avec Gérard* est d'ailleurs une assez bonne pierre de touche pour éprouver l'incompréhension qu'ont des enfants les personnes éclairées. L'un me dit : « Gérard est invraisemblable. » Je réponds : Il est vrai [1]. Et j'en appelle aux éducateurs, religieux ou laïcs : qu'ils disent si la conversation de Gérard n'est pas celle de n'importe quel enfant de son milieu et de son âge; ils répéteront avec le Père de Grandmaison : *Tous nous avons été Gérard.* (« Gérard est plus intéressant qu'Adolphe, et même que

---

1. Le *Dialogue* est la transcription de trois entretiens qui eurent lieu. L'art n'y est intervenu que pour le travail de l'expression dans les deux ou trois « tirades » d'Antonin, et pour le raccord des trois entretiens en un seul. Les quelques répliques imaginées, la plupart en vue de ces raccords, ont d'ailleurs été mises dans la bouche d'Antonin. *Chacune de celles de Gérard a été dite :* l'exactitude de la transcription est ici voisine de la sténographie.

Dominique, parce que tous nous avons été Gérard. ») Un autre me corrige : « Il eût suffi de donner trois ans de plus à Gérard », sans concevoir que les répliques de Gérard, vraies pour un garçon de douze ans et demi, seraient fausses pour un garçon de quinze, comme elles seraient fausses pour un garçon de onze. Un autre revient à plusieurs reprises sur cette idée, que « l'aîné s'est approché de l'enfant comme on s'approche d'un miroir », imagination radicalement en désaccord avec ma pensée, et que rien ne justifie. M. Robert Kemp, dont les chroniques mettent dans la presse du soir une oasis pour l'intelligence, me demande si je crois que Bergson et Boutroux soient moins intelligents aujourd'hui que lorsqu'ils avaient treize ans, et qu'ils aient moins d'âme : à quoi je réponds qu'on ne prouve rien avec des exceptions, mais que, pour croire que mon épicier, mon banquier ou mon député avaient plus de richesse intérieure à treize ans que dans leur âge mûr, oui, de cela je suis convaincu. La plupart de ceux qui accordent au *Dialogue* qu'il est vrai, prennent soin de glisser quelques mots sur « les fleurs trop grosses pour leur tige, et même pour l'arbuste qui les porte »; et vraiment mon ami Faure-Biguet donne assez le ton de la critique sur le *Dialogue* lorsqu'il parle de « ces pages qui... ont déconcerté peut-être plus qu'elles n'ont convaincu, mais dont l'on a été d'accord pour reconnaître qu'elles rendaient un son nouveau ».

Mais je dois surtout savoir gré à Faure-Biguet d'avoir recueilli, pour la rapprocher de celles de Gérard, cette phrase qu'écrivait Barrès au lendemain des Fêtes de la Victoire : « J'ai foi dans la paix, à une condition, toutefois, c'est que nous pratiquions journellement ces vertus de *sérieux* et de courage que nous avons montrées pendant la guerre... »

« Je constate avec inquiétude, lisons-nous dans un petit volume répandu par les soins d'une certaine presse, qu'on ne rit plus aussi fort de la lourdeur germanique, de l'organisation allemande, de la minutie allemande. Gardez donc votre légèreté... Imposez au monde le rythme nonchalant de votre vie. Achevez votre conquête par l'amollissement et par la corruption des barbares... » Mais moi j'entends le cri de Gérard : « Ah ! voilà que tu recommences à plaisanter... », je vois son visage soudain figé, ses yeux qui bougent dans l'angoisse, et je frémis avec plus d'horreur que lui-même, car je pense que Gérard mourra, parce que nous avons *recommencé à plaisanter*, dans cinq ans, à la prochaine invasion de la France.

Post-scriptum (1933). — Les épreuves de ce volume étant « en pages », je trouve dans mes papiers trois citations qui avaient ici leur place.

En addition au renvoi de la page 33 :

« Seuls, les plus impitoyables ennemis de ces enfants pourraient prendre autant de peine pour leur inculquer l'imbécillité et les vices qu'ils doivent à leurs parents et plus spécialement à leurs mères. » TOLSTOÏ, *Plaisirs cruels.*

Et voici la « mort de l'âme » attestée par STENDHAL : « Je veux me retirer du monde quand mes jeunes fils, si j'en ai, auront quinze ou seize ans. J'aurais le cœur percé de fond en comble de les voir devenir des êtres plats... Je veux donc les quitter au bon moment. » (*Correspondance*, II.)

Enfin, à rapprocher de Gérard blâmant Antonin de ne s'être pas engagé, l'anecdote suivante rapportée par le manuscrit Badouaro. Charles-Quint racontait ses campagnes à son petit-fils don Carlos. Après le récit de la retraite d'Innspruck, l'enfant dit à son grand-père: « Je n'aurais pas fui. » — « Et qu'aurais-tu donc fait à ma place? » — « Je n'aurais pas fui. » — « Quoi ! trahi par tes alliés, souffrant de la goutte, au risque d'être surpris et fait prisonnier ! » — « Je n'aurais pas fui ! »

TABLE DES MATIÈRES

ACHEVÉ
d'imprimer dans les ateliers de l'Imprimerie Berger-Levrault, le 20 novembre 1953 pour le
LIVRE DE DEMAIN

Dépôt légal nº 1010. 4e trimestre 1953.